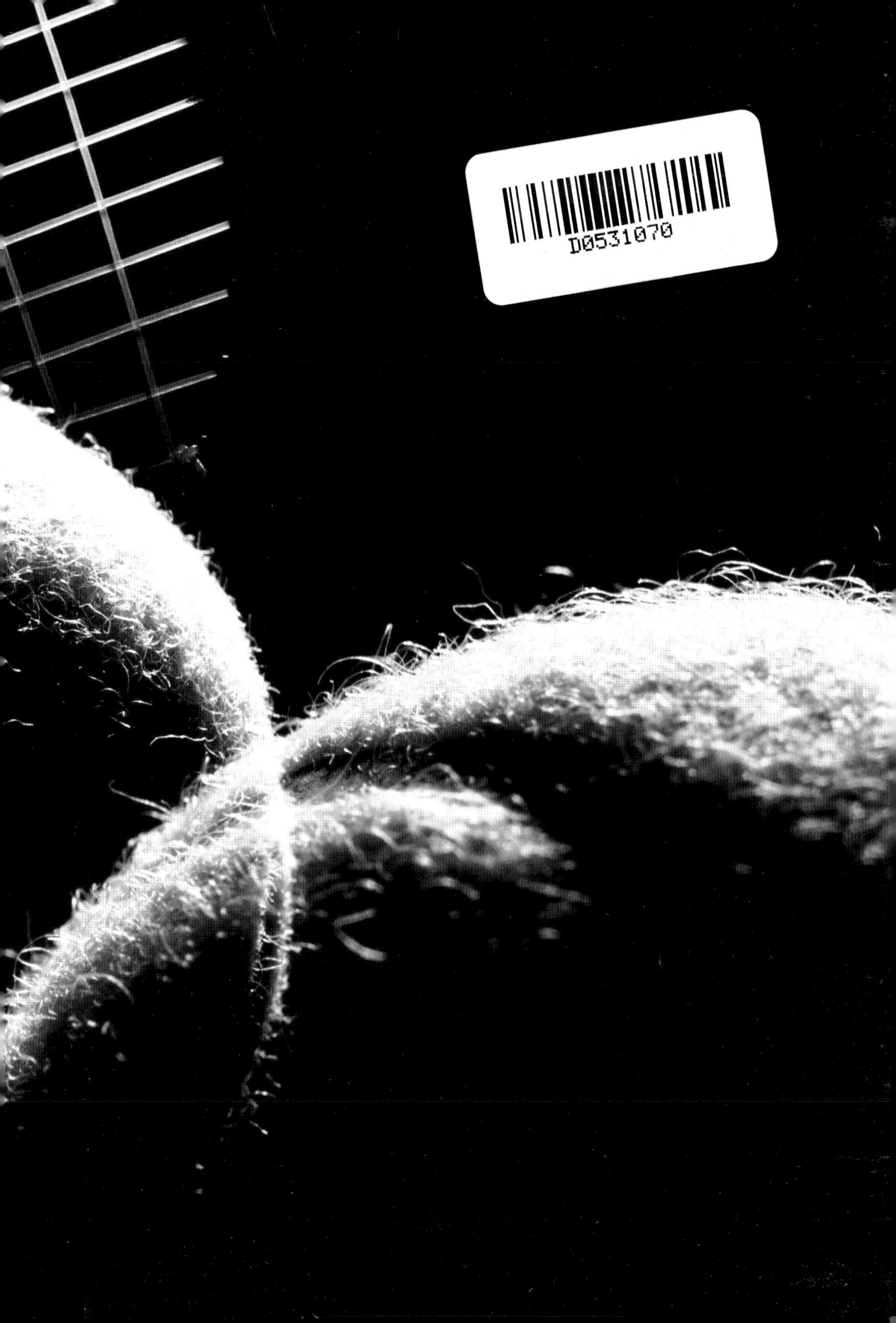
D0531070

DE 19 BESTE TENNISSERS ALLER TIJDEN

EN DE 13 MEEST MARKANTE SPELERS VOLGENS

RICHARD KRAJICEK

VOOR DAPHNE, EMMA EN ALEC,
MIJN EIGEN TOPPERS

Eindredactie Daphne Deckers
Ontwerp omslag en binnenwerk DPS Design & Prepress Services, Amsterdam

ISBN 978 90 488 0177 0
NUR 491

www.uitgeverijcarrera.nl
www.krajicek.nl

Carrera is een imprint van Dutch Media Uitgevers

EN DE 13 MEEST MARKANTE SPELERS VOLGENS

RICHARD KRAJICEK

UITGEVERIJ CARRERA, AMSTERDAM 2010

NK KOSTER

VOORWOORD

Ik ben al mijn hele leven gefascineerd door tennis. Vanaf het moment dat mijn vader een houten racket afzaagde en dat mij in de hand drukte, heb ik geprobeerd het spel te doorgronden. Als tennisser sta je alleen op de baan; er is niemand om je achter te verschuilen. Nergens wordt je karakter zo blootgelegd als op het centercourt. En die karakters – daar gaat dit boek over. Ik lees vaak dat tennis 'saai' is en dat alle spelers op elkaar lijken, maar daar ben ik het uiteraard niet mee eens. Achter ieder racket zit een mens, en achter ieder mens zit een verhaal.

De geschiedenis van de tennissport wordt bevolkt door kleurrijke figuren, waarvan sommigen onterecht in de vergetelheid zijn geraakt, zoals tennisbaron Von Cramm en Arthur 'Tappy' Larsen. Maar ook Jack Kramer, de grondlegger van de ATP Tour, verdient een hernieuwde kennismaking, net als Bobby Riggs, de onverbeterlijke *hustler* achter The Battle of the Sexes. Daarnaast heb ik natuurlijk volop aandacht voor de beste tennissers aller tijden.

De ranking zoals die er nu ligt, heeft mijn persoonlijke voorkeur – maar dat wil niet zeggen dat hij in cement is geschreven. Mocht Rafael Nadal bijvoorbeeld nog de US Open winnen, dan stijgt hij wat mij betreft een flink aantal plaatsen. Maar hoe verhouden de toppers van toen zich tot de hardhitters van nu? Het was recordjager Pete Sampras die de discussie over de GOAT, de 'Greatest Of All Time', tijdens zijn carrière heeft aangezwengeld. Maar bestaat hij wel, die ene tennisser die zo veel beter was of is dan alle anderen?

Want wat had Roger Federer bijvoorbeeld gepresteerd tegen een ijzervreter als Jimmy Connors? Hoe had Andre Agassi gespeeld tegen de onverzettelijke Pancho Gonzalez? Wat had Don Budge kunnen bereiken met een graphite racket? En hoeveel méér grand slams had Rod Laver kunnen winnen als hij niet vroegtijdig was overgestapt naar de proftour? Al deze vragen zijn niet meer te beantwoorden, maar dat hoeft voor mij ook niet. Iedere tennisfan heeft zijn eigen criteria, zijn eigen maatstaven voor het bepalen van De Beste Ooit. Lees en oordeel zelf, zou ik willen zeggen.

Wat ik het meest fascinerend vind aan deze lijst, is dat alle topspelers zo enorm van elkaar blijken te verschillen. Er is geen mal voor 'de perfecte tennisser', geen blauwdruk voor de ultieme tennismachine. In mijn carrière stond ik tegenover extraverte publieksspelers als Boris Becker en onderkoelde sluipmoordenaars als Stefan Edberg, maar ook tegenover irritante schreeuwers als John McEnroe en geruisloze killers als Pete Sampras. Het waren totaal verschillende mannen, die maar twee dingen gemeen hadden: de wil om te winnen, en de liefde voor het spel.

Richard Krajicek

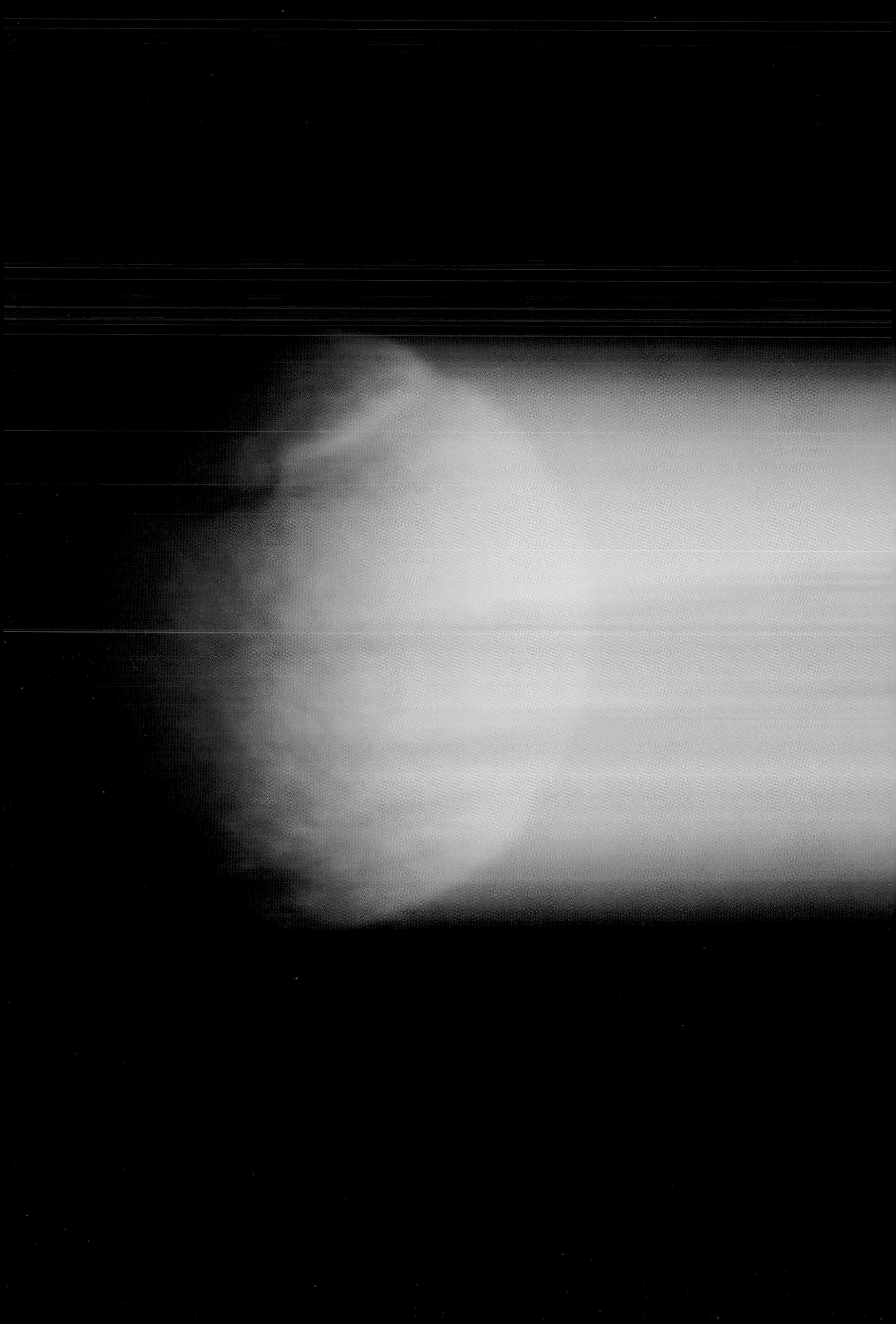

DE 19 BESTE TENNISSERS ALLER TIJDEN

ROGER FEDERER

BIJNAAM **FED EXPRESS, KING ROGER, DARTH FEDERER, SWISS KNIFE, THE MAESTRO**

GEBOORTEDATUM **8 AUGUSTUS 1981**

GEBOORTEPLAATS **BASEL, ZWITSERLAND**

WOONPLAATS **OBERWIL, ZWITSERLAND**

LENGTE **1.85 M**

GEWICHT **85 KG**

PROFDEBUUT **1998**

GEWONNEN GELD **$ 53.414.588**

HOOGSTE POSITIE **1**

NR 1

ROGER FEDERER

FEDERER – KRAJICEK: 2-0

- GRAND SLAMS • **15** •
- AUSTRALIAN OPEN • **2004** • **2006** • **2007** •
- ROLAND GARROS • **2009** •
- WIMBLEDON • **2003** • **2004** • **2005** • **2006** • **2007** • **2009** •
- US OPEN • **2004** • **2005** • **2006** • **2007** • **2008** •
- ATP-ZEGES • **61** •

Roger Federer is 'The One'. Deze tekst stond enige tijd geleden vergezeld van een iconische foto op de cover van de Amerikaanse editie van *Tennis Magazine* – en eigenlijk is daarmee alles gezegd. Over de geniale Zwitser wordt al jaren alleen maar in superlatieven gesproken. Naast al zijn overwinningen op de baan won hij ook nog eens zeventig awards, waaronder vier keer op rij de prestigieuze Laureus World Sportsman of the Year-trofee. Geen enkele andere atleet heeft dat gepresteerd. In 2007 ging hij als eerste door de magische grens van meer dan 10 miljoen dollar aan prijzengeld (per jaar!) en werd hij door *Time Magazine* opgenomen in de lijst van de honderd meest invloedrijke mensen ter wereld. Inmiddels heeft Federer al meer dan 50 miljoen dollar aan prijzengeld verdiend. Hij heeft op 22 achtereenvolgende grandslamtoernooien minimaal de halve finales bereikt en is al voor het vijfde opeenvolgende jaar door zijn collega's voor zijn sportieve gedrag beloond met de Stefan Edberg Award. En dan is er nog zijn Foundation, waarmee hij niet alleen getalenteerde Zwitserse kinderen uit achterstandswijken ondersteunt, maar zich ook in diverse Afrikaanse landen inzet voor betere scholing door middel van sport en spel. Geen wonder dat Roger Federer is uitgegroeid tot een mondiaal fenomeen, een *gentleman player* die de tennissport overstijgt.

Maar die sport, daar is het wel allemaal mee begonnen. Roger is niet zomaar een goede tennisser. Om te beginnen is zijn forehand ongeëvenaard; misschien wel de beste die er ooit is vertoond. Ook zijn volleys worden vaak geroemd, en van de huidige spelers op de ATP Tour heeft hij waarschijnlijk ook wel de scherpste.

Toch gebiedt de eerlijkheid mij te zeggen dat de volleys van Pat Cash, Stefan Edberg en Patrick Rafter nog een klasse beter waren, om van John McEnroe maar niet te spreken. Maar in een tijd waarin iedereen met veel topspin vanaf de baseline staat te beuken, zijn de volleys van Federer een effectieve manier om de slagenwisselingen in te korten door snelle punten te scoren. Federer heeft ook de slice teruggebracht in het mannentennis; een 'vergeten' wapen waarmee hij het spel ontregelt en het tempo van de rally bepaalt. Daarnaast heeft Roger nog een moeilijk te lezen service en een sublieme backhand. Wanneer je dit alles combineert met zijn superieure spelinzicht, wordt duidelijk waarom de Fed Express lange tijd onoverwinnelijk leek te zijn.

De laatste jaren hebben we echter kunnen zien dat zelfs de Maestro maar een mens is. Zijn onbedaarlijke huilbui na het verliezen van de finale van de Australian Open aan het begin van 2009 kwam voor veel tennisliefhebbers als een schok. Federer had gehoopt in Melbourne het aantal gewonnen grand slams van Pete Sampras (14) te gaan evenaren, maar toen zijn aartsrivaal Rafael Nadal hem wéér de voet dwars zette, barstte hij bij de prijsuitreiking in tranen uit. Federer zei later dat hij niet had begrepen waarom de pers er zo'n *big deal* van had gemaakt, 'want ik huilde al bij het verliezen van wedstrijden sinds ik vijf jaar oud was'.

Ik denk dat Roger daarmee iets te makkelijk voorbijgaat aan het feit dat het tamelijk verrassend was om de onaantastbare Zwitser met schokkende schouders te horen stamelen: '*God, this is killing me.*' Mensen die Roger van vroeger kennen, waren echter iets minder verrast. Toen de kleine Federer een jaar of tien was, kon iedereen al zien dat hij uitzonderlijk getalenteerd was. Maar er was iets wat nog meer de aandacht trok dan zijn mooie slagen: zijn opvliegende karakter. Hij had geregeld woede-uitbarstingen op de baan, gooide met zijn rackets en barstte na verloren wedstrijden in huilen uit. De Australische coach Peter Carter nam de kleine driftkop onder zijn hoede en leerde hem hoe hij zijn emoties moest kanaliseren naar iets positiefs. In 1998 eindigde Federer als de nummer één bij de junioren. Voor zijn overstap naar de profs nam hij de Zweed Peter

Lundgren in dienst als coach, maar achter de schermen bleef hij nauw verbonden met Peter Carter, die hij als een tweede vader was gaan zien. De eerste paar jaren van zijn profcarrière ging het op en neer met Federer. Hij won fantastische wedstrijden en veroverde zelfs een paar ATP-titels en een Masters-serie, maar hij had ook wonderlijke inzinkingen, die resulteerden in onnodige verliespartijen. Als tegenstander wist je nooit welke Federer je die dag zou treffen: de getalenteerde nieuwkomer met de geniale invallen, of het opgewonden standje dat met name in lange wedstrijden zijn focus nogal eens verloor. Roger hoorde van alle kanten dat iemand met zijn potentie veel beter moest kunnen presteren, maar op de een of andere manier ontbrak het hem aan concentratie. Of aan motivatie, of aan inzet – ik weet niet wat het was.

Maar ik weet wél wat een enorme ommekeer in zijn leven teweegbracht: de plotselinge dood van Peter Carter in 2002. Hij was in Zuid-Afrika (op een safari waartoe Roger hem had aangespoord) in een ravijn gereden, en door dit verlies leek er een knop om te gaan in Federers hoofd. Vanaf dat moment was hij kalmer, preciezer, meer gedreven en scherper dan ooit. In 2003 won hij zijn eerste Wimbledon en begon hij aan zijn klim naar de nummer 1-positie. Daar stond op dat moment Lleyton Hewitt, een agressieve speler met wie de wat instabiele Federer altijd moeite had. Ik heb veel bewondering voor de manier waarop Roger zichzelf heeft gedwongen om mentaal weerbaarder te worden. Zijn huidige kalmte heeft hij niet cadeau gekregen; daar heeft hij jaren aan gewerkt. Van nature is hij immers veel explosiever, veel ongeduldiger ook. En heel soms, zeker als het wat minder gaat, zie je dat onbeheerste weer terugkeren in zijn spel. Maar begin 2004 was daar geen sprake van: hij walste over iedereen heen en won de Australian Open, Wimbledon, de US Open en nog een hele rits andere toernooien. Hij bereikte de nummer 1-positie en veegde en passant zijn oude angstgegner Hewitt diverse keren kansloos van de baan. In 2005 en 2006 stoomde de Fed Express maar door. Roger won alles wat er te winnen viel, en dan ook nog met oogstrelend tennis. Hij maakte in die periode optimaal gebruik van het interbellum waarin hij terecht was gekomen: de grote kanonnen zoals Sampras, Agassi en Becker waren allemaal net met pensioen, en veelbelovende nieuwkomers zoals Nadal, Djokovic en Murray waren nog niet op volle oorlogssterkte.

Ik heb zelf twee keer tegen Roger mogen spe-
en: de eerste keer ging het heel slecht met
nijn elleboog en werd ik kort daarna geope-
eerd, en de tweede keer maakte ik na twintig
naanden net mijn comeback in Rosmalen.
Ik had het graag tegen Federer willen opnemen toen ik zelf in mijn toptijd zat. Pete
Sampras zei laatst dat hij tegen Roger veel
naar het net zou zijn gekomen, en dat zou
k zeker ook hebben gedaan. Of deze strate-
gie had gewerkt? Geen idee. Maar je moet je
n ieder geval nooit neerleggen bij het idee
dat een tegenstander onoverwinnelijk is.

De eerste die de Zwitserse kluis wist te
kraken, was Marat Safin. En niet veel la-
er kwam daar nog iemand bij: Rafael Nadal. Eerst zette de fanatieke Spanjaard hem
vooral de voet dwars op Roland Garros, maar
n 2008 deelde hij een gevoelige tik uit aan
Federer: Nadal versloeg hem in de finale van
Wimbledon. Eén maand later ging Rafa er
ook nog met Olympisch goud vandoor. Voor
emand van het kaliber van Federer moet
het onverteerbaar zijn dat hij van de zeven
grandslamfinales die hij tegen Nadal heeft
gespeeld er maar liefst vijf heeft verloren.
Roger hecht namelijk bijzonder veel waarde
aan ranglijsten en records. Hoewel hij er
nonchalant over probeerde te doen, hielden de mediaspeculaties over de titel van GOAT (Greatest Of All Time) hem onderhuids wel degelijk bezig. Kort na zijn huilbui op de Australian Open verloor hij in de halve finale van Key Biscayne van Novak Djokovic, en weer barstte de Zwitser in tranen uit. 'Djokovic speelde vreselijk slecht,' zei hij na afloop, 'en ik moest heel erg mijn best doen om nog slechter te spelen dan hij. Maar het is gelukt.'

Dit soort opmerkingen passen wat mij betreft totaal niet bij een grootheid als Federer. Het geeft voor mij aan hoezeer hij op dat grandslamrecord gebeten was. Hij was zó dicht bij de eeuwige roem. Die kans wilde hij zich niet laten ontglippen – zeker nu Rafael hem ook nog van de eerste plaats van de ranglijst had verdrongen. Het moge duidelijk zijn dat Roger niet gewend was om te verliezen. Er werd aan zijn stoelpoten gezaagd, en ik vermoed dat hij nog een vorm moest vinden om daarmee om te gaan. Maar zo dramatisch als 2009 was begonnen, zo plotseling keerde het tij. Nadal begon te sukkelen met chronische tendinitis in zijn knieën. Roger versloeg hem in de finale van Madrid, en toen Nadal tot ieders verbazing in de derde ronde door Söderling uit Roland Garros werd geslagen, lag de *Coupe des Mousquetaires* voor het grijpen. Sinds hij in 2009 de titel in

Parijs heeft veroverd, lijkt er een enorme last van Rogers schouders te zijn gevallen. Hij evenaarde hiermee het record van Sampras, schaarde zich bij de zeer weinige tennissers die alle vier de grand slams hebben gewonnen, heroverde de nummer 1-positie én revancheerde zich in de arena op Nadal voor het pijnlijke verlies van zijn Wimbledon-titel. Toen Rafael zich daarna ook nog geblesseerd afmeldde voor Wimbledon, leek het *alltime* grandslamrecord van vijftien titels onafwendbaar. Maar Andy Roddick gaf zich niet zomaar gewonnen. Het werd de langste finale die er ooit in een grand slam is gespeeld. Federer moest er verschrikkelijk aan trekken, maar met 16-14 in de vijfde set knokte hij zich naar de winst – en de eeuwigheid. Vergeten waren de huilbuien en de gebroken rackets van de afgelopen maanden; Roger Federer werd met vijftien grandslamtitels officieel de beste speler ooit.

Niet dat alle tenniskenners zich daar helemaal in konden vinden. Federer staat qua techniek, spelinzicht, balbeheersing, slagenarsenaal en atletisch vermogen op zeer eenzame hoogte; daar is iedereen het roerend over eens. Hij is een fantastische ambassadeur voor de tennissport en heeft het niveau naar een heel nieuw level gebracht. Maar de 'Greatest Of All Time'? Is dat niet appels met peren vergelijken? Federer heeft (voorlopig) één grandslamtitel meer dan Pete Sampras. Daar staat tegenover dat de Amerikaan zes jaar lang onafgebroken als de nummer één van de wereld wist te eindigen, en Federer 'slechts' vier jaar. Maakt dat wat uit? Of moet je bij het bepalen van de GOAT alleen van het aantal grandslamoverwinningen uitgaan?

In het geval van Rod Laver gaat dat bijvoorbeeld niet op. De Australische tennislegende won in 1962 vier grand slams in één jaar, en stapte met zes grandslamtitels achter zijn naam van de amateurs over naar de proftour. Dat deden alle goede spelers in die tijd, maar de consequentie was dat zij daarna voor straf geen grand slams meer mochten spelen. Van 1963 tot 1967, dus van zijn 25ste tot zijn 29ste levensjaar, kreeg de grote Rod Laver geen kans meer om zich op de *big four* te bewijzen. In 1968 werd hij eindelijk weer toegelaten, en prompt won hij Wimbledon. In 1969 won hij zelfs wederom vier grand slams in één jaar! Rod Laver vergaarde uiteindelijk elf singletitels en ook nog eens negen dubbeltitels. Maar het lijkt me duidelijk dat hij, wanneer hij in het amateurcircuit was gebleven, misschien wel op meer dan twintig titels was uitgekomen. Dit blijft echter koffiedik

kijken. Laver wilde zich destijds meten met de besten, en het zou oneerlijk zijn wanneer hij daardoor zijn kansen op de eretitel 'Greatest Of All Time' – zou hebben verkeken. Overigens heeft Rod Laver gezegd dat hij Federer fenomenaal vindt, maar dat je tennissers uit verschillende tijden eigenlijk niet met elkaar kunt vergelijken. En zo is het natuurlijk ook. Dat neemt niet weg dat ik benieuwd ben naar wat Roger nog allemaal voor moois gaat laten zien. Zowel Andy Murray als Rafael Nadal heeft inmiddels een positief saldo ten opzichte van hem, maar ik vind dat dit 'The One' alleen maar menselijker maakt. Met al die uitdagers zal Federer de komende jaren flink aan de bak moeten, dus de tennisliefhebbers kunnen zich verheugen op nog meer legendarische wedstrijden. Feit blijft dat Roger Federer het internationale tennis heeft verrijkt met zijn power, zijn precisie en zijn persoonlijkheid. Maar is Roger de GOAT? Hij is in ieder geval de 'Greatest Of This Time'. En ik denk dat de afkorting GOTT in het Zwitserduits ook een heel mooi compliment is.

ROGER FEDERER OVER TENNIS:

'Ik denk altijd positief. Ik geloof er heilig in dat je het geluk jouw kant op kunt dwingen.'

'Hoe mooier het punt, hoe beter ik me voel en hoe blijer ik word. Maar ik zal nooit een shot kiezen waardoor mijn tegenstander voor schut staat. Dat vind ik verkeerd. Daarvoor heb ik te veel respect voor iedereen.'

'Records zijn ervoor gemaakt om gebroken te worden.'

'Hoe lang ik nog blijf tennissen? Dat ligt eraan hoe fit ik blijf. Mijn vrouw Mirka zei laatst dat het haar zo leuk leek als onze twee dochters mij nog konden zien tennissen. Dus zij moeten nog een beetje groeien, en ik moet nog een beetje spelen, en dan zien we wel waar het heen gaat.'

BJÖRN BORG

BIJNAAM **ICEBERG, ICEMAN, ICE-BORG, MR COOL**

GEBOORTEDATUM **6 JUNI 1956**

GEBOORTEPLAATS **SODERTALJE, ZWEDEN**

WOONPLAATS **MONACO**

LENGTE **1.80 M**

GEWICHT **72 KG**

PROFDEBUUT **1973**

GESTOPT **1981**

GEWONNEN GELD **$ 3.655.751**

HOOGSTE POSITIE **1**

NR 2. BJÖRN BORG

GRAND SLAMS ● **11** ●

AUSTRALIAN OPEN ● **-** ●

ROLAND GARROS ● **1974** ● **1975** ● **1978** ● **1979** ● **1980** ● **1981** ●

WIMBLEDON ● **1976** ● **1977** ● **1978** ● **1979** ● **1980** ●

US OPEN ● **-** ●

ATP-ZEGES ● **51** ●

Om meteen maar met de deur in huis te vallen: het liefst had ik Björn Borg op de eerste plaats gezet. Maar sinds Roger Federer het French Open heeft gewonnen en zich daarmee bij het zeer selecte groepje tennissers schaarde die de vier verschillende grand slams hebben gewonnen, kon ik niet meer om de Zwitser heen. Zeker niet toen hij meteen daarna ook nog de Wimbledontitel veroverde. Het achter elkaar winnen van Roland Garros en Wimbledon wordt in de tenniswereld zeer hoog aangeschreven, omdat de overgang van gravel naar gras buitengewoon groot is. Rafael Nadal voltooide het kunststukje in 2008, en Federer bereikte deze mijlpaal in 2009. Maar Björn Borg deed dit maar liefst drie jaar op rij: in 1978, 1979 en 1980. In totaal won Borg 'slechts' elf grand slams, maar daarbij moet worden aangetekend dat hij maar één keer naar de Australian Open is afgereisd. Het toernooi viel destijds precies in de kerstperiode, en de eigenzinnige Zweed was dan liever thuis. Borg stond ook vier keer in de finale van de US Open, maar jammer genoeg was hij een van de tennissers die moeite hadden met het spelen onder kunstlicht. Niet dat hij dat ooit heeft uitgesproken; het is mij gewoon opgevallen dat hij onder kunstlicht net dat beetje scherpte miste; iets waar Stefan Edberg ook last van had. Maar het meest opvallende is natuurlijk dat hij op zijn 26ste abrupt stopte met tennissen. Deze wonderlijke beslissing is nog altijd met een waas van geheimzinnigheid omgeven. Nu ik een groot aantal van zijn oude interviews heb doorgespit, heb ik een beter idee gekregen van wat hem heeft bezield. Maar voor ik iets over het einde kan zeggen, moeten we eerst terug naar het begin.

De vader van Björn, Rune Borg, was een van de beste tafeltennisspelers van Zweden. Toen Rune in 1965 een toernooi won, kreeg hij bij de prijsuitreiking een tennisracket cadeau. Dat gaf hij aan zijn negenjarige zoontje – en de rest is geschiedenis. Door de tafeltennisinvloed van zijn vader had de kleine Björn al snel een *western grip* die hem in staat stelde om zware topspin te slaan. Dat is heel moeilijk met een houten racket, maar Borg perfectioneerde de techniek en maakte er een ongekend wapen van. In 1971 won hij al de Orange Bowl in Miami, het wereldkampioenschap voor de jeugd. Eén jaar later had hij de juniorentitel van Wimbledon op zijn naam staan. Vanaf dat moment was er geen houden meer aan. De koele Zweed met het lange blonde haar was de allereerste superster van het internationale tennis. Hij werd in *no time* de nummer één van de wereld en won zes keer Roland Garros en vijf keer Wimbledon. Op de baan was Björn de ultieme Mr. Cool, en zijn charisma veroorzaakte een wereldwijde *Borg Mania*. Gillende meisjes, paparazzi, torenhoge reclamedeals, live tv, uitverkochte stadions – als Björn Borg ging aantreden, voelde je aan alles dat hij iets bijzonders was. Eerlijk gezegd voel ik dat nog steeds. Toen ik eind 2007 tijdens een seniorentoernooi in Frankfurt voor het eerst tegen hem mocht spelen, merkte ik dat ik nerveus was. Ik vond het namelijk echt een eer. Ik heb tijdens mijn carrière veel *legends of the game* mogen ontmoeten, van Rod Laver tot Jimmy Connors en van Jack Kramer tot John McEnroe. Bijzondere mannen met fantastische tenniscarrières, die je allemaal in dit boek zult terugvinden.

Maar bij de naam Björn Borg dwalen mijn gedachten meteen af naar vroeger, toen ik als vierjarig broekie voor de tv zat en hem voor het eerst Wimbledon zag winnen. Hij zakte op zijn knieën, en dat beeld is twee decennia op mijn netvlies blijven staan. Want dát wilde ik ook. De meeste vierjarige jongetjes dromen waarschijnlijk van een rode brandweerauto, of van een nieuwe doos lego. Ik droomde van de Wimbledon-beker. Dat was misschien niet helemaal gezond, maar Björn Borg had dat idee in mijn hoofd geplant. Samen met mijn vader keek ik daarna nog vier zomers naar de Wimbledon-finale, en iedere keer was het Borg, Borg, Borg, Borg. Ademloos keek ik naar zijn koelbloedigheid, zijn concentratie, geduld en precisie. En naar het respect dat andere profspelers voor hem hadden. 'Björn was van een ander ras,' heeft Jim-

my Connors eens verzucht, 'ik haalde de gekste capriolen uit, maar hij lachte niet eens. Dat droeg alleen maar bij aan de charme van zijn wedstrijden tegen mij en McEnroe. Wij werden helemaal gek, gingen uit ons dak, en hij zat er zo ontspannen bij, alsof hij aan zijn zondagse wandelingetje bezig was.' Vitas Gerulaitis vertelt een soortgelijk verhaal: 'Iedere keer wanneer ik tegen Borg moest spelen, had ik wel dertig ideeën bedacht die mij de overwinning zouden gaan brengen. Maar hij sloeg ze alle dertig aan stukjes, als een kleiduivenschieter.' Sommige toppers hebben een speciaal aura om zich heen hangen, zoals bijvoorbeeld Pete Sampras en Roger Federer, maar ook Rafael Nadal. Björn Borg was de eerste met zo'n ongenaakbare uitstraling. Borg had *the force*. Zo veel finesse, charisma, balbeheersing en spelinzicht is daarna niet vaak meer vertoond. Maar dat betekent niet dat het hem allemaal kwam aanwaaien. Hij was zeer gedreven en slechts gefocust op één ding: winnen.

Hij liet niets aan het toeval over, trainde keihard en werkte voortdurend aan de perfectionering van zijn slagen. Ook zijn entourage moest perfect zijn. Zo sliep hij tijdens Wimbledon ieder jaar in hetzelfde hotel. Hij gebruikte dezelfde *locker*, zat in dezelfde stoel en nam hetzelfde aantal handdoeken mee naar de baan. Ook was hij ervan overtuigd dat hij zich twee weken niet moest scheren en geen seks mocht hebben. Borg had van nature een bijzonder lage hartslag; misschien dat hij daarom nooit driftig werd. Een *mishit*? Hij verblikte of verbloosde niet. Game verloren? Borg vertrok geen spier. Later vertelde hij dat zijn emoties wel degelijk tekeergingen, zeker wanneer hij tegen zijn grote rivaal John McEnroe moest spelen. Maar tijdens een wedstrijd kon hij die turbulente gevoelens als geen ander omzetten in opperste concentratie en focus. Tijdens de historische Wimbledon-finale van 1980 – tot de epische vijfsetter tussen Federer en Nadal in 2008 gezien als de meest spannende Wimbledonfinale aller tijden – dwong McEnroe de koele Zweed tot het uiterste. 'Wanneer ik mezelf dat laatste punt in de vierde set zie verliezen, op 18-16, dan kan ik het loopje naar mijn stoel nog voelen alsof het gisteren was,' zei hij enige tijd geleden in een interview. 'Dat was het zwaarste moment uit mijn tenniscarrière, dat loopje. Ik wist dat John dacht dat hij de wedstrijd zou winnen. Ik dacht óók dat hij de wedstrijd zou winnen. Ik weet niet hoe ik mezelf bij elkaar heb geraapt. Als hij me in de eerste game van de vijfde set had gebroken, zou ik verloren hebben, maar ik won vanuit een achterstand van 0-30, speelde ongelooflijk goed, verloor bijna geen punt meer op mijn service en won de wedstrijd. Die laatste vijfde set was, mentaal gezien, de beste set uit mijn carrière.'

Eén jaar later waren de rollen omgedraaid. John versloeg Borg in de Wimbledon-finale, en loste hem na vele jaren af als de nummer één van de wereld. Twee maanden later versloeg Mac hem wéér, dit keer in de finale van de US Open, en vervolgens gebeurde er iets raars in het hoofd van Borg. Hij merkte tot zijn schrik dat hij niet echt was aangeslagen door deze twee grote verliezen. Diep vanbinnen voelde hij opeens dat het genoeg was geweest. Na al die jaren was hij zijn motivatie verloren. 'Ik weet niet precies waarom,' zei hij later. 'Misschien was ik gewoon moe van het hele gebeuren. Ik wilde een kans om mezelf te zijn, om mijn eigen leven te hebben. Ik zat altijd maar op een schema. Trainen, eten, slapen. In het tennis had ik geen leven.' Hoewel ik het eeuwig zonde vind, begrijp ik wel wat hij bedoelt. Hij was jarenlang zo succesvol, zo gedreven, zo gefocust – en toen was hij óp. 'Het is makkelijker de nummer één te worden dan het te blijven,' zei Björn daar zelf over. 'Je moet jezelf keer op keer bewijzen. Je blijft zitten met een hol gevoel zodra de uitdaging om iets te bereiken is weggevallen.' Ik denk dat een groot deel van het publiek onderschat hoe zwaar het is om toptennisser te zijn. Het trekt niet alleen een zware wissel op je lichaam maar zeker ook op je geest. Je bent

BJÖRN BORG OVER TENNIS:

'Als je bang bent om te verliezen, durf je ook niet te winnen.'

'Ik wilde altijd winnen, ook tijdens trainingspotjes. De grand slams waren geweldig, maar ieder toernooi, iedere wedstrijd was voor mij belangrijk. Zelfs demonstratiepartijen.'

'Mijn spel is anders. Het is gebaseerd op geduld. Niet op de aanval.'

'Mijn sterkste punt is mijn volharding. Ik geef nooit op in een wedstrijd. Hoe ver ik ook achter sta, ik vecht tot de laatste bal.'

bijna nooit thuis, reist door landen, tijdzones en continenten, en staat nagenoeg iedere dag op de baan. Je voelt constant pijn, stress en druk, en zelfs als je wint, vraag je je soms af of het dit allemaal waard is. 'Ik had het gevoel dat ik in een kamer was waarvan ik de deur nooit kon openen. Ik bedoel – ik hield echt van tennis, maar ik wist dat er zo veel dingen waren buiten die deur, maar ik kon er nooit bij,' probeerde Borg later zijn gevoelens te verklaren.

Die 'dingen buiten de deur', nou, die heeft Borg gevonden. Nadat hij stopte met tennissen was er een vermeende zelfmoordpoging, een faillissement, een pijnlijke poging tot een comeback, diverse echtscheidingen en als klap op de vuurpijl het bericht dat hij zijn trofeeën wilde verkopen. Maar inmiddels gaat het prima met de Zweed. Hij is gelukkig getrouwd, blij met zijn gezin, en het sportmerk Björn Borg draait als een trein. 'Mijn tenniscarrière was zo perfect, dat alles wat ik later deed daarmee werd vergeleken. Dan ligt de lat natuurlijk wel erg hoog. Ik heb er vele jaren over gedaan om rust te vinden in mezelf, en om erachter te komen wat ik leuk vind om te doen. Maar nu ben ik tevreden.'

Door Borgs relatief korte carrière zullen we nooit weten hoeveel hij nog had kunnen winnen. Maar voor mij is dat ook eigenlijk niet zo belangrijk. Het internationale toptennis heeft dankzij Björn Borg een heel andere uitstraling gekregen en daar hebben wij, de generaties die na hem zijn gekomen, allemaal profijt van gehad. Twintig jaar nadat ik Borg voor het eerst Wimbledon had zien winnen, heb ik hetzelfde gedaan. Nadat ik het winnende punt had gemaakt, ging er een schokgolf van euforie en ongeloof door me heen. Ik kon me bijna niet voorstellen dat ik mijn levenslange droom had waargemaakt. Mijn knieval op het heilige gras was dan ook lang niet zo elegant en iconisch als die van Björn Borg, maar hij was er. Voor mij zal Borg altijd een van de meest speciale tennissers blijven. En niet alleen voor mij, want ruim een kwart eeuw na zijn vroegtijdige pensionering stroomt het publiek nog steeds in groten getale toe om de meester op seniorentoernooien te zien spelen. Dat is charisma met een hoofdletter C. Zelfs mijn kinderen Emma en Alec weten hem inmiddels te waarderen. Op het ABN Amro-toernooi hebben we ieder jaar een *Wall of Fame* met daarop foto's van alle winnaars sinds het prille begin. Afgelopen keer kwamen ze helemaal opgewonden naar me toe en zeiden: 'Papa! Weet je dat die meneer van de onderbroeken vroeger ook heeft getennist?'

ROD LAVER

BIJNAAM **THE ROCKET**
GEBOORTEDATUM **9 AUGUSTUS 1938**
GEBOORTEPLAATS **ROCKHAMPTON, AUSTRALIË**
WOONPLAATS **CARLSBAD, CALIFORNIË, VS**
LENGTE **1.72 M**
GEWICHT **68 KG**
PROFDEBUUT **1962**
GESTOPT **1979**
GEWONNEN GELD **$ 1.565.413**
HOOGSTE POSITIE **1**

NR 3
ROD LAVER

GRAND SLAMS ● **11** ●
AUSTRALIAN OPEN ● **1960** ● **1962** ● **1969** ●
ROLAND GARROS ● **1962** ● **1969** ●
WIMBLEDON ● **1961** ● **1962** ● **1968** ● **1969** ●
US OPEN ● **1962** ● **1969** ●
ATP-ZEGES ● **173** ●

Zodra er gepraat wordt over de beste tennisser aller tijden, wordt één naam steevast genoemd: Rod Laver. Als kind kwakkelde deze Australische boerenzoon nogal met zijn gezondheid, maar desondanks moest hij gewoon meewerken op de veehouderij van zijn vader. De buitenlucht heeft de kleine Laver zichtbaar goedgedaan, want hij groeide uit tot een superatleet met een linkerarm die kon wedijveren met die van Rafael Nadal. De legendarische *lefty* ontwikkelde zich tot een gedreven aanvaller, die zowel achterin als bij het net over sublieme slagen bleek te beschikken. Meer dan vijftien jaar voordat mannen als Björn Borg en Guillermo Vilas de topspin zouden perfectioneren, had Rod Laver zich deze techniek al eigen gemaakt. Hij wordt zelfs genoemd als de uitvinder van de topspin lob; een waar kunststukje met een houten racket. Ik heb als kind nog leren tennissen met een houten racket, en zo'n slaghout gedraagt zich fundamenteel anders dan de graphite rackets van nu. Een houten racket vraagt veel meer van je techniek: als je de bal niet perfect raakt, valt hij dood van je blad. Je kunt er ook amper vaart mee maken, tenzij je erg sterk én erg technisch bent. Wanneer je naar klassieke wedstrijden kijkt van bijvoorbeeld Borg tegen McEnroe valt als eerste op hoe 'langzaam' het gaat. Maar met de rackets van toen kon je helemaal geen powertennis spelen; het draaide veel meer om plaatsing en precisie. Tijdens mijn profcarrière toverde mijn coach Rohan Goetzke geregeld een houten racket tevoorschijn om mijn volleys mee te oefenen, omdat deze rackets je dwingen de slag precies volgens het boekje te doen. Charlie Hollins, de coach van Rod Laver, leerde hem dat het twee jaar duurde om een forehand te perfectioneren, twee jaar voor een backhand en twee jaar voor een service. Dat waren de uren die je moest maken, de inzet die je moest tonen, het vakmanschap dat je moest leren. 'En nu krijgen die kinderen op hun achtste zo'n composite racket, en binnen de kortste keren hebben ze *spin and control*,' zei Laver laatst lachend.

Maar Laver vertelde ook dat hij Sampras tijdens een oefenpotje een houten racket had gegeven, en dat Pete er prima mee overweg kon. Ook servicekanon Mark Philippoussis bleek met een houten racket behoorlijk hard te kunnen serveren. De échte balkunstenaars zouden bij wijze van spreken met een koekenpan kunnen tennissen, maar feit is dat de moderne rackets het spel grondig hebben veranderd. De tennissers van nu slaan veel harder, gebruiken nog meer topspin en maken ongelooflijke hoeken. Het is ook minder belangrijk geworden om je slag af te maken. De traditionele doorzwaai wordt steeds meer vervangen door snelle arm- en polsbewegingen. Daar is Roger Federer werkelijk een meester in; hoe hij zijn racket hanteert lijkt soms wel op tafeltennis. Overigens is Rod Laver helemaal niet iemand die vroeger alles beter vond. Natuurlijk vindt hij het jammer dat er nauwelijks nog service volley wordt gespeeld – en daar ben ik het hele maal mee eens. Maar Laver is een realist. Hij i nog steeds een groot tennisliefhebber en volg het op de voet. De oude meester ziet ook vee pluspunten in het 'nieuwe' tennis: 'Het publie krijgt tegenwoordig veel meer rally's te zien. I de tijd dat ik speelde, had je de service, de vol ley, en dan moest je eerst ballen rapen voorda je verder kon met de wedstrijd. Er waren nau welijks ballenjongens. En als ik nu zo'n And Murray zie spelen... Hij heeft een heel spelpla in zijn hoofd: wanneer hij moet slicen, beetj topspin hier, wat afremmen daar, en dan di versnelling. Dat kan allemaal met een compo site racket. Maar met een houten racket was da niet gelukt.'

Hoewel het proftennis door de komst van d kunststof rackets misschien wel is geëvolueer van een denksport naar een krachtsport, den ik dat het met name voor het publiek een goe de ontwikkeling is geweest. Ze zien niet allee meer rally's, maar meer mensen kunnen nu oo zelf een racket oppakken en meteen een aardi ge bal slaan. Dit heeft enorm bijgedragen aa de populariteit van het internationale tennis en dat komt de ATP Tour natuurlijk alleen maa ten goede. De tenniswereld hecht bijzonde veel waarde aan traditie, maar ik denk dat het juist goed is dat een sport met zijn tijd meegaat. Het dak over het Centre Court van Wimbledon, een innovatie als HawkEye – naar mijn mening hebben zij de sport verrijkt. Ieder tijdperk is anders; alleen al om die reden is het onmogelijk om één iemand aan te wijzen als De Beste Ooit.

Rod Laver was de eerste speler sinds Don Budge die het voor elkaar heeft gekregen om de vier verschillende grand slams in één jaar te winnen. Maar zoals ik al eerder vertelde in het hoofdstuk over Roger Federer, stapte hij daarna over op de proftour. Het internationale tennis is decennialang verscheurd geweest door een tweedeling tussen de amateurs enerzijds (die als enigen de vier grand slams mochten spelen en mochten deelnemen aan de Davis Cup), en de profs anderzijds (die met name in Amerika een eigen circuit hadden opgesteld, met prijzengeld en een eigen ranking). Het idee dat de edele tennissport bezoedeld zou raken wanneer de spelers voor hun inspanningen betaald zouden worden, was ongelooflijk hardnekkig. Natuurlijk wilden talentvolle spelers dolgraag mooie titels winnen en voor hun land uitkomen, maar zij en hun gezinnen konden er niet van leven. Desondanks werden ze met de nek aangekeken wanneer ze het waagden om over te stappen naar de professionals – iets wat de echte toppers uiteindelijk toch allemaal deden.

Nadat Rod Laver in 1962 het grand slam had behaald, ging hij zijn vrienden Ken Rosewall, John Newcombe, Pancho Gonzalez en Tony Roche achterna. Laver wilde zich namelijk meten met de besten – en die zaten op de proftour. Van 1963 tot 1967 mocht de beste speler van de wereld zich niet vertonen op de grand slams, en was hij uitgesloten van deelname aan de Davis Cup. Omdat Laver in de bloei van zijn

ROD LAVER OVER TENNIS:

'Het enige waar je aan moet denken, is het volgende punt.'

'Ik denk niet dat je kunt spreken over "de beste ooit". Sampras en Agassi hebben tenslotte ook onwaarschijnlijk mooie wedstrijden uitgevochten. En Don Budge dan? Of Bill Tilden? Je kunt wel de beste zijn van jóuw tijd.'

'Je moet gewoon het geluk hebben dat je je beste tennis speelt op het juiste moment. Dat is alles.'

leven was, gaan de meeste tenniskenners ervan uit dat zijn grandslamtotaal ver boven de twintig uit had kunnen komen. Dit vermoeden werd onderstreept toen de profs in 1968 weer mochten deelnemen aan Wimbledon, en Rod Laver er prompt met de beker vandoor ging. Het jaar erna won hij wéér alle vier de grand slams, waarmee zijn status als levende legende werd bezegeld. Het duurde overigens nog tot 1973 voordat de professionals eindelijk toestemming kregen om ook weer Davis Cup te mogen spelen.

Rod Laver was dolgelukkig dat hij op zijn 35ste nog eenmaal mocht aantreden voor zijn land. Hij speelde werkelijk briljant, en in de finale veegde hij samen met dubbelpartner John Newcombe met 5-0 de vloer aan met de Amerikanen, die de Cup maar liefst vijf jaar in hun bezit hadden gehad. De tijd van het 'open tennis' was eindelijk aangebroken. Uiteindelijk zou de tenniscarrière van Rod 'The Rocket' Laver maar liefst 23 jaar duren. Hij was de beste bij de amateurs en de beste bij de professionals, maar hij bleef altijd bescheiden; op-en-top een gentleman.

In 1998 werd hij getroffen door een zware beroerte, maar dankzij zijn sterke fysiek wist hij dat niet alleen te overleven maar stond hij een halfjaar later zelfs weer voorzichtig op de tennisbaan. Laver is alweer in de zeventig, maar heeft nog steeds zijn eigen schoen bij Adidas, reist zo veel mogelijk naar de grand slams en geniet enorm van de wedstrijden tussen Federer en Nadal: 'Kijk tijdens een wedstrijd eens niet naar de bal, maar naar de speler. Kijk eens naar wat die allemaal doet, hoe moeilijk het is, naar de techniek en de kunde. Kijk eens naar het voetenwerk. Bij iemand als Federer is dat werkelijk fantastisch om te zien.'

PETE SAMPRAS

BIJNAAM **PISTOL PETE, KING OF SWING, SWEET PETE**
GEBOORTEDATUM **12 AUGUSTUS 1971**
GEBOORTEPLAATS **WASHINGTON D.C., VS**
WOONPLAATS **LOS ANGELES, CALIFORNIË, VS**
LENGTE **1.85 M**
GEWICHT **77 KG**
PROFDEBUUT **1988**
GESTOPT **2002**
GEWONNEN GELD **$ 43.280.489**
HOOGSTE POSITIE **1**

NR 4
PETE SAMPRAS
SAMPRAS- KRAJICEK: 4-6

- GRAND SLAMS ● **14** ●
- AUSTRALIAN OPEN ● **1994** ● **1997** ● **1969** ●
- ROLAND GARROS ● **-** ●
- WIMBLEDON ● **1993** ● **1994** ● **1995** ● **1997** ● **1998** ● **1999** ● **2000** ●
- US OPEN ● **1990** ● **1993** ● **1995** ● **1996** ● **2002** ●
- ATP-ZEGES ● **32** ●

Voordat Roger Federer ten tonele verscheen, was Pete Sampras de man van de records. Hij stond een onvoorstelbare 284 weken op de toppositie en eindigde zes jaar achter elkaar als de nummer één van het seizoen. Daarnaast won de Amerikaan 62 toernooien en veertien grand slams: zevenmaal Wimbledon, vijfmaal de US Open en tweemaal de Australian Open. Pete had ieder jaar twee missies: zo veel mogelijk grandslamtitels winnen en het tennisseizoen als beste van de wereld afsluiten. Zeker tegen het einde van zijn carrière had hij soms wat mindere periodes, waarin hij kostbare punten verspeelde. Maar in het najaar steeg de gedreven Amerikaan geregeld boven zichzelf uit, om toch als de nummer één te kunnen eindigen. Dit heeft een aantal historische partijen opgeleverd, omdat iedereen wist hoe belangrijk die toppositie voor Sampras was. Alleen degene die aan het einde van het jaar nummer één staat, gaat de boeken in en Pete was nu eenmaal geobsedeerd door rankings en records. Hij was ook de eerste die uitsprak dat hij het grandslamrecord van Roy Emerson (12) wilde verbeteren, omdat hij een recordaantal grandslamtitels zag als hét teken van grootheid – een idee dat de pers sindsdien niet meer heeft losgelaten. Andre Agassi was het hier overigens niet helemaal mee eens. In zijn autobiografie *Open* schrijft hij dat hij het aantal grandslamtitels nooit zo boeiend heeft gevonden, want Emerson had er dan misschien wel meer dan Laver, 'maar er is nog nooit iemand geweest die Emerson een betere tennisser vond'. (Het verhaal achter het record van Roy Emerson lees je verderop in dit boek.) Agassi werd naar eigen zeggen veel meer getriggerd door de uitdaging om alle vier de grand slams te winnen, en dat is hem uiteindelijk ook gelukt.

Sampras niet. Roland Garros is altijd buiten zijn bereik gebleven, hoezeer hij het ook heeft geprobeerd. Die omissie zit Sampras nog steeds enorm dwars, zeker nu Federer het wél heeft gepresteerd. Hoewel Sampras de Zwisterse maestro enorm bewondert, plaatst hij zichzelf toch wel ongeveer op hetzelfde niveau. Sommige mensen vinden dat ijdel maar ik vind het best bewonderenswaardig; Pete heeft in ieder geval geen last van valse bescheidenheid. Toen hem onlangs werd gevraagd wie hij zou nomineren als de beste tennisser aller tijden, kwam hij met vier namen op de proppen: Rod Laver, Björn Borg, Roger Federer en... Pete Sampras. 'Ik denk niet dat je ze in een bepaalde rangorde kunt zetten,' voegde hij eraan toe, 'het zijn gewoon vier mannen die – meer dan wie dan ook – hun generatie hebben gedomineerd.' Pete speelt ook graag demonstratiepartijen tegen Federer (iets wat hij denk ik serieuzer neemt dan Roger) en hij geniet ervan dat hij minstens één set behoorlijk partij kan bieden. Ik vind het jammer dat hun carrières elkaar niet iets meer hebben overlapt; volgens mij was het wel een spektakel geweest om beide heren in hun hoogtijdagen tegen elkaar te zien spelen. Daar is Sampras het uiteraard mee eens: 'Mijn spel zou zich aardig hebben kunnen meten met dat van Roger.'

Is dat grootspraak? Ik denk het niet. Ook Borg en Laver zeiden desgevraagd dat zij bij een Wimbledon-finale tussen beide grootheden hun geld toch nét iets meer op Pete zouden hebben gezet. Maar de cijfers wijzen uit dat Sampras veertien grandslamtitels heeft gewonnen in twaalf jaar, en Federer vijftien stuks in zes jaar. Maakt dat de Zwitser dan niet twee keer zo goed? Zo kun je dat eigenlijk niet bekijken. Dit is nu precies de reden waarom het bepalen van de GOAT zulk onbegonnen werk is. Terwijl Federer de eerste paar jaar van zijn carrière nagenoeg het rijk alleen had, had Sampras vanaf dag één veel meer tegenstand: hij moest afrekenen met mannen als Stefan Edberg, Andre Agassi, Jim Courier, Michael Chang, Boris Becker, Patrick Rafter en Goran Ivanišević. En met mij, want ik vind het nog steeds leuk dat ik vaker van Pete heb gewonnen dan hij van mij – waarbij de kwartfinale van Wimbledon in 1996 natuurlijk de slagroom op mijn taart was. Desondanks vond ik het verdraaid lastig om tegen hem te moeten spelen. Sampras was een meester in het maken van de *big points*: de punten waar het om gaat. Als het écht moest, sloeg hij een ace op zijn tweede service, produceerde een ongelooflijke backhandvolley of deed iets anders gedurfds of onverwachts. Ik denk dat veel mensen onderschatten hoeveel mentale energie het kost om de beste tennisser van de wereld te zijn – en te blijven. Sampras leek van graniet te zijn gemaakt; niet alleen lichamelijk, maar ook geestelijk. Hij raakte bijna nooit geblesseerd en ook zijn mentale weerbaarheid was ongeëvenaard.

Maar waar Sampras in het begin van zijn loopbaan nog bewonderend *King of Swing* en *Pistol Pete* werd genoemd, ging hij de tennisgeschiedenis toch vooral in als Saaie Piet. Nadat hij in 1993 zijn eerste Wimbledon-finale had gewonnen van Jim Courier, kopten de Britse kranten: '*Samprazzzz...*' Pas toen zijn coach Tim Gullikson in 1996 stierf aan een hersentumor en Pete huilend op de baan stond, drong bij pers en publiek het besef door dat hij helemaal geen tennisrobot was maar een gewone man, boordevol emoties. Dat jaar speelde hij ook zijn memorabele partij in de kwartfinale van de US Open tegen Alex Corretja. Wanneer Sampras die pot zou verliezen, zou hij niet alleen zijn titel kwijt zijn maar ook zijn nummer 1-positie. Tegen het einde van de wedstrijd moest Sampras van pure stress en ellende overgeven. Hij kreeg een matchpoint tegen en toen hij vertwijfeld en met betraande ogen naar de hemel staarde, hield niemand het meer droog. In de beslissende tiebreak van de vijfde set sloeg Sampras een gedurfde ace op zijn tweede service en na een dubbele fout van Corretja won hij uiteindelijk na vier uur en negen minuten. Pas na zijn carrière maakte Sampras bekend dat hij lijdt aan de erfelijke ziekte thalassemie, die hem gevoelig maakt voor bloedarmoede, misselijkheid en duizeligheid. Deze lichamelijke ongemakken had hij al die tijd verzwegen, net als veel andere delen

PETE SAMPRAS OVER TENNIS:

'Tennis was mijn werk. Wanneer ik had verloren, was ik meteen weg. Wanneer ik had gewonnen, was ik meteen weg. Ik bleef niet hangen om iets te bekijken.'

'Roger is degene die er het spel voor heeft en hij is ook bereid om alles op te offeren om de beste speler ter wereld te worden, en misschien wel 15, 17 of 19 grand slams te gaan winnen. Hij leeft tennis, hij ademt tennis. Net als ik vroeger. Ik weet wat ervoor nodig is. Er zijn niet veel spelers zoals wij.'

'De echt goede spelers zijn anders: op een bepaald punt in de wedstrijd kunnen zij een niveau hoger gaan spelen en dat ook volhouden. Minder goede spelers kunnen één set fantastisch spelen – en dan zakt het in.'

'*Nothing is bigger than Wimbledon.*'

van zijn persoonlijkheid. Want in werkelijkheid was Pete verre van saai; hij voelde alleen nooit de behoefte om zijn privéleven met de buitenwereld te delen. 'Ik was een sportman, geen entertainer,' zei hij daar later over. 'Ik wilde gewoon íédere wedstrijd winnen. Ik wilde later niet herinnerd worden als "de lollige", "de kleurrijke" of "de interessante". Ik wilde herinnerd worden als de man die titels won.'

Het grappige is natuurlijk dat zijn tegenpool en grootste rivaal uit die tijd, Andre Agassi, altijd werd gezien als de charismatische, de sprankelende en de levendige van de twee. Maar later bleek dat de rebelse Agassi al die jaren juist erg depressief en ongelukkig was. Dát is Sampras nooit geweest. 'Saaie Piet' had in werkelijkheid een pikant gevoel voor humor, een panische angst voor honden en een obsessie voor schoon sanitair. Nadat hij in het begin van zijn carrière een Franse speler had zien pissen onder de gezamenlijke douche, was hij zo *freaked out* dat hij nooit meer in een kleedkamer heeft gedoucht. Maar Pete had wel meer dwangmatige trekjes. Zo kon hij alleen maar slapen in een compleet verduisterde hotelkamer, waar iedere spleet in de gordijnen was afgedekt en ieder rood lampje van tv-toestellen of telefoonopladers was afgeplakt. De airco moest op standje Noordpool staan, er mochten geen kreukels in het beddegoed zitten en als hij eenmaal onder de lakens lag, mocht zijn vriendin hem absoluut niet meer aanraken. Hij deed het allemaal met één reden: alle condities moesten optimaal zijn. Want hij wilde winnen, altijd maar winnen. En dat heeft hij gedaan.

In 2002 leek het afgelopen met de carrière van de ooit zo onaantastbare Pete Sampras. Op Wimbledon leed hij in de tweede ronde de lelijkste nederlaag uit zijn carrière door te verliezen van de onbekende Zwitser George Bastl, destijds de nummer 182 van de wereld. De kranten meenden dat het nu wel klaar was met Pete, en ook Boris Becker zei dat hij per direct moest stoppen om zichzelf een verdere afgang te besparen. Maar de ambitieuze Sampras bleek ook toen weer een klasse apart. Hij zette nog één keer alles op alles en versloeg op de US Open onder andere Greg Rusedski, Tommy Haas, Andy Roddick en onze eigen Sjeng Schalken, om in de finale heel symbolisch tegenover zijn grootste rivaal uit te komen. En zo eindigde de carrière van Pete Sampras zoals hij in 1990 was begonnen: met een US Open-titel die hij veroverde ten koste van Andre Agassi. Een mooier slotakkoord kan een tennisser zich niet wensen.

NIKE

IVAN LENDL

BIJNAMEN **THE TERMINATOR, IVAN THE TERRIBLE**
GEBOORTEDATUM **7 MAART 1960**
GEBOORTEPLAATS **OSTRAVA, VOORMALIG TSJECHOSLOWAKIJE**
WOONPLAATS **GOSHEN, CONNECTICUT, VS**
LENGTE **1.87 M**
GEWICHT **78 KG**
PROFDEBUUT **1978**
GESTOPT **1994**
GEWONNEN GELD **$ 21.262.417**
HOOGSTE POSITIE **1**

NR 5
IVAN LENDL
LENDL- KRAJICEK: 1-2

- GRAND SLAMS • **8** •
- AUSTRALIAN OPEN • **1989** • **1990** •
- ROLAND GARROS • **1984** • **1986** • **1987** •
- WIMBLEDON • - • **1999** •
- US OPEN • **1985** • **1986** • **1987** •
- ATP-ZEGES • **86** •

Over de eerste vier spelers op deze lijst zal iedereen het wel eens zijn. Misschien is er wat discussie over de volgorde, maar niemand trekt hun sterrenstatus in twijfel. Anders is dat met de nummer vijf: Ivan Lendl. In de meeste discussies over De Beste Ooit wordt de Tsjech over het hoofd gezien, maar aan zijn prestaties heeft het niet gelegen. Lendl was een ongelooflijke vechter, een trainingsbeest en het ultieme pietje-precies. Hij won maar liefst 94 toernooien, waaronder acht grand slams. Ivan stond drie keer in de finale van de Australian Open, bereikte vijf keer de finale op Roland Garros en acht keer de finale van de US Open. Tussen 1983 en 1990 bivakkeerde hij 270 weken op nummer één, waarvan 157 weken onafgebroken. Met dat record prijkt hij tussen Pete Sampras en Jimmy Connors, maar hun populariteit heeft hij nooit benaderd.

Het gezaghebbende Amerikaanse sportblad *Sports Illustrated* schreef ooit een coverartikel over Lendl, met op de voorpagina de pijnlijke tekst: *'The champion nobody cares about.'* Ivan, die in 1992 tot Amerikaan was genaturaliseerd, was woedend over het verhaal en stuurde een boze brief naar de redactie. 'Hoe is het mogelijk dat nota bene in Amerika hard werken niet wordt erkend?' schreef hij nijdig. Want dát was Lendls levensmotto: hard werken. Waar zijn rivaal John McEnroe er prat op ging dat hij nauwelijks trainde, was Lendl erop gebrand om het uiterste uit zichzelf te halen. Vanaf zijn vroegste jeugd had hij immers niets anders gekend.

Ivan Lendl werd geboren in het Tsjechische Ostrava, een grijze industriestad dicht bij de Poolse grens. Zijn vader Jiri was niet alleen een prominent advocaat, maar ook een official van de Tsjechische tennisbond en de nummer vijftien van zijn land. Ivans moeder Olga was de nummer twee van Tsjechië en kon daarnaast ook goed basketballen. Na Ivans geboorte bleef zijn moeder fanatiek tennissen. Wanneer ze geen oppas voor hem kon vinden, werd de kleine Ivan gedurende haar training 'gewoon' aan de netpost vastgebonden. Vanaf het moment dat hij kon lopen, kreeg hij een tennisracket in de hand gedrukt. Zijn vader speelde de ballen aan en zijn moeder begon hem te coachen.

Door de verhalen over de harde jeugd van spelers als Ivan Lendl, Andre Agassi en John McEnroe zou je kunnen gaan denken dat je als tennistopper alleen kunt slagen met een paar bloedfanatieke ouders in huis. Hoewel het zeker helpt wanneer je vader en moeder een droom met je delen, kun je ook met relaxte ouders een wereldtopper worden, zoals bijvoorbeeld Roger Federer, Pete Sampras en Rafael Nadal hebben bewezen. Maar de wil om te winnen moet dan wel heel sterk in het kind zelf zitten, want supertalenten hebben vaak de neiging om gemakzuchtig te zijn. Ivan Lendl was wat dat betreft een unieke combinatie: hij was uitzonderlijk getalenteerd en net zo ambitieus als zijn ouders. Zijn moeder gaf hem overigens nooit één punt cadeau: pas toen Ivan veertien jaar was, lukte het hem om zijn moeder te verslaan.

De ijzeren discipline waarmee Ivan Lendl was opgevoed, zou zich in zijn hele carrière weerspiegelen. Hij was de eerste tennisser met een professioneel begeleidingsteam: coaches, fitnesstrainers, diëtisten, specialisten – Lendl liet niets aan het toeval over. Als beginnende prof vond ik Ivan een vreemde vogel, maar tegelijkertijd was ik erg onder de indruk van zijn systematische aanpak. Zodra ik het me kon veroorloven, heb ik ook zo'n team om me heen verzameld. Het kostte me een hoop geld, maar ik heb er altijd in geloofd dat je je kansen moet optimaliseren. Niemand dreef die gedachte echter zó ver door als Ivan Lendl. Zijn trainingsprogramma's grensden af en toe aan het waanzinnige.

Met zijn harde kaaklijn, zijn ingevallen wangen en zijn emotieloze gezicht was Lendl niet bepaald een aaibaar idool. Daarbij was het een beroepsklager: er was altijd wat mis, met het net, met de baan of met de ballen – alles moest precíés goed zijn voor deze rechtijnige Tsjech. Zo stuiterde hij viermaal bij zijn eerste service en driemaal bij zijn tweede. Jaar in, jaar uit. Om gek van te worden. Tijdens wedstrijden eiste hij dat er zuiver water voor hem klaarstond, want alleen dat zou zijn ichaam het snelst en het schoonst verlaten.

Lendl dacht – geheel in de geest van de Oost-Europese sportdiscipline – dat hij door goed te presteren vanzelf bewondering en respect zou verdienen. Helaas was dat met name in het Westen niet het geval. Tennis bleek daar bovenal entertainment en de toeschouwers verwachtten niet alleen mooie resultaten, maar vooral ook extraverte spelers met wie zij zich konden identificeren. Maar wanneer Ivan op de baan stond, toonde hij zelden emoties. Wanneer hij won, was hij niet overdreven blij en wanneer hij verloor, eek hij daar niet noemenswaardig onder te ijden.

Na iedere wedstrijd schreef hij in een notitieblokje allerlei details over zijn tegenstander, zodat hij de volgende keer nóg beter uit de startblokken kon komen. Over Michael Chang had hij in 1989 echter nog niets in zijn boekje staan. Hun vierderondepartij op Roland Garros heeft een plaats gekregen in de tennishistorie, omdat de jonge Amerikaan

IVAN LENDL OVER TENNIS:

‘Als je het normaal vindt dat je talent hebt, is dat gevaarlijk. Als je het goed gebruikt en het combineert met hard werken, dan word je moeilijk te verslaan.’

‘Ik heb er geen spijt van dat ik dingen moest missen. Op dat moment denk je dat je iets mist, maar later kijk je terug en besef je dat je niks gemist hebt. Als je naar school gaat en vijf dagen in de week traint, heb je nog altijd twee dagen om je vrienden te zien.’

de anders zo onwrikbare Lendl compleet van zijn stuk bracht door op een cruciaal punt onderhands te serveren. Zo veel frivoliteit kon de puristische Lendl niet goed verwerken. Waar hij de eerste twee sets nog gemakkelijk had gewonnen, liet hij zich in de laatste drie sets afdrogen door Chang, die uiteindelijk ook het toernooi zou winnen. Gedurende de zijn hele carrière is dit waarschijnlijk de enige partij geweest waarin Ivan Lendl zich dermate heeft laten afleiden. Hij haalde dan ook zijn schouders op over de mentale druk die toptennis met zich mee zou brengen: 'Ik heb nooit problemen gehad met die nummer 1-positie. Ik was in alle leeftijdscategorieën altijd al de nummer één. Becker en McEnroe spraken vaak over de druk die de toppositie met zich meebracht. Die druk heb ik nooit gevoeld. Ik genoot er alleen maar van.'

Alleen op gras haperde de Tsjechische tennismachine. Dit ontlokte Goran Ivanišević de historische uitspraak dat Lendl het grastennis nooit zou leren: 'Hij komt alleen naar het net om je hand te schudden.' Toch haalde Ivan ook op Wimbledon vier halve en twee hele finales – puur op karakter. Ook won hij twee keer het grastoernooi van Queens, waar hij zowel John McEnroe als Boris Becker wist te verslaan. In 1990 liet hij zelfs zijn geliefde Roland Garros links liggen om twee maanden vóór Wimbledon alvast op gras te gaar trainen met zijn coach, de Australische grasspecialist Tony Roche. Hij nam zelfs ballet en aerobicslessen om beter op gras te kunnen bewegen en schakelde een psycholoo in om zijn zwakke punten te analyseren. Da jaar strandde hij voor de zoveelste keer in d halve finales, en de kranten schreven ietwa smalend dat het 'wederom niet gelukt was'.

Maar dat ziet Lendl anders. Nu hij terugkijkt op zijn imposante carrière beschouw hij juist zijn Wimbledon-uitslagen als he beste wat hij ooit heeft bereikt: 'Twee finale en vier halve finales – en dát op een baansoort die niet geschikt was voor mij.' Da sentiment deelt Pete Sampras. Nadat hij Iva in diens nadagen op de Australian Open ha verslagen, zei hij: 'Weten jullie wat de naar Lendl voor mij betekent? Toewijding, har werken, het overwinnen van iedereen, ook a had hij misschien minder talent dan veel var zijn tegenstanders. Ik bewonder hem enorm.

ANDRE AGASSI

BIJNAAM **THE LAS VEGAS KID, THE A TRAIN**

GEBOORTEDATUM **29 APRIL 1970**

GEBOORTEPLAATS **LAS VEGAS, NEVADA, VS**

WOONPLAATS **LAS VEGAS, NEVADA, VS**

LENGTE **1.80 M**

GEWICHT **80 KG**

PROFDEBUUT **1986**

GESTOPT **2006**

GEWONNEN GELD **$ 31.152.975**

HOOGSTE POSITIE **1**

NR 6
ANDRE AGASSI
AGASSI- KRAJICEK: 4-3

GRAND SLAMS ● **8** ●
AUSTRALIAN OPEN ● **1995** ● **2000** ● **2001** ● **2003** ●
ROLAND GARROS ● **1999** ●
WIMBLEDON ● - ● **1992** ●
US OPEN ● **1994** ● **1999** ●
ATP-ZEGES ● **60** ●

erlijk gezegd had ik mijn hoofdstuk over gassi al lang en breed klaar, toen Andre n het najaar van 2009 een schokkende au- obiografie publiceerde. Het boek *Open* eidde wereldwijd tot zeer positieve én zeer egatieve reacties. Het is natuurlijk ook ont- utsend dat een van de grootste sporthel- en aller tijden na zijn carrière onthult dat ij 'ongeveer een jaar' het zeer verslavende *rystal meth* heeft gebruikt. En dat niet al- een: Andre blijkt in 1997 door de ATP te zijn etrapt bij een dopingtest, waar hij zich uit eeft weten te kletsen door zijn *personal as- istant* de schuld te geven. Na het uitkomen an het boek hebben behoorlijk wat prof- ennissers verklaard dat zij het een schande inden dat de ATP dit destijds onder de pet eeft gehouden. Roger Federer zei dat hij te- eurgesteld was in Agassi, en dat hij hoopte dat de sport nog meer van dit soort gevallen bespaard zou blijven. Marat Safin stelde dat als Agassi écht schoon schip wilde maken, hij afstand moest doen van zijn titels: 'Bij de ATP hebben ze een bankrekening, daar kan hij al zijn prijzengeld mooi op terugstorten.' Boris Becker meende dat hij 'de laatste' was die over een ander mocht oordelen omdat hij zelf zware tijden had gekend, maar dat dit schandaal toch een ander licht wierp op Andre Agassi, en dat was 'geen mooi licht'.

Maar mannen als Rafael Nadal en de legende John Newcombe hebben het ook voor Andre opgenomen door te zeggen dat een tenniscarrière een zwaar en eenzaam bestaan is, en dat de constante druk gekke dingen kan doen met je hoofd. 'Iedereen die aan de top heeft gestaan en zegt dat hij zulke gevoelens van radeloosheid en depressie niet herkent, die vertelt niet de waarheid,' zei John Newcombe in een interview.

Overigens kan ik het me goed voorstellen dat de ATP Andre in 1997 op zijn woord heeft geloofd. Crystal meth valt immers niet onder de prestatiebevorderende drugs. Het is een ordinaire straatdrug die je niet alleen paranoïde en agressief kan maken, maar ook geagiteerd en soms zelfs gewelddadig. Het is extreem verslavend, geeft een enorme *rush* aan nerveuze energie en leidt tot dwangmatige handelingen, gewichtsverlies en hallucinaties.

Is het een wonder dat de ATP gewoonweg niet kon geloven dat de grote Andre Agassi vrijwillig zulke rotzooi tot zich zou nemen? De spelersvakbond was in 1997 net serieus begonnen met het testen van proftennissers, en stond in die tijd waarschijnlijk nog open voor een goed gebracht excuus. Dat kun je nu trouwens wel vergeten. Het antidopingbureau is inmiddels dusdanig door de wol geverfd dat ze geen genade hebben voor iemand als Richard Gasquet, die beweerde dat de cocaïne in zijn urine was veroorzaakt door een tongzoen in een nachtclub. Tegenwoordig moet je als proftennisser *iedere da* van het jaar nauwkeurig laten weten wa je je precies op de aardbol bevindt, zodat dopingcontroleurs op elk gewenst mome kunnen binnenvallen voor een plascontrol Reisplannen gewijzigd? Vakantie verleng Meteen doorgeven aan het antidopingb reau, anders volgt er na drie kruisjes onhe roepelijk een schorsing, zoals de Belgisch speler Xavier Malisse onlangs heeft ervare

In het licht van deze huidige maatregele begrijp ik dat er behoorlijk wat toptennisse zijn die de affaire rond Andre Agassi met nodige irritatie hebben gevolgd. Nee, And zou hier vandaag de dag niet meer mee we komen. Maar in 1997 wel, en ik denk dat het daarbij moeten laten. Zijn crystal met verslaving is zijn tennis totaal niet ten goe gekomen, dus eigenlijk is hij vooral zelf h slachtoffer geweest van zijn demonen.

Terwijl ik door de gecompliceerde relat met mijn dominante vader de eerste jar van mijn carrière een haat-liefdeverhoudi met het tennis heb gehad, onthulde And dat het bij hem om dezelfde redenen hoof zakelijk een haat-haatverhouding is gebl ven. Pas helemaal op het einde van zijn ca rière, nadat hij zijn toupet aan de wilgen h gehangen en rust had gevonden bij Steffi Graf en zijn goede doelen, kwamen hij en het tennis tot een soort gewapende vrede. Na het uitkomen van zijn boek zei Andre zelfs dat hij mijn ups en downs maar al te goed had begrepen, omdat hij in mij de pijn van zijn eigen moeizame jeugd had herkend. Daar stond ik wel even van te kijken, want het was best aardig geweest wanneer hij dat ook tíjdens mijn carrière had gezegd – al was het alleen al onder vier ogen geweest. Destijds kwam hij publiekelijk niet verder dan: 'Krajicek raakt al geblesseerd als hij aan tennis denkt'; een quote die net iets te gretig door de Nederlandse pers werd opgepikt. Ik ben inderdaad vaak geblesseerd geraakt, maar ondanks eenzelfde soort jeugd als die van Andre ben ik niet aan de drugs geraakt. Zoiets ligt totaal niet in mijn aard. Maar ik vind niet dat dit mij (of wie dan ook) het morele recht geeft om te oordelen over het verwerkingsproces van een ander. Volgens de Dalai Lama moet je eerst vrede vinden in jezelf, voordat je vrede kunt vinden in de wereld. En ik denk dat dit precies is wat Andre heeft gedaan. Al jaren vóór zijn ontboezemingen in *Open* heb ik van dichtbij mogen ervaren hoe hij zich ontpopte van een rebelse, narcistische einzelgänger tot een charismati-

ANDRE AGASSI OVER TENNIS:

(TIJDENS ZIJN AFSCHEIDSSPEECH VOOR HET PUBLIEK OP DE US OPEN VAN 2006):

'Het scorebord zegt dat ik vandaag heb verloren. Maar wat het scorebord niet zegt, is wat ik heb gevonden. Wat ik de laatste 21 jaar heb gevonden, is loyaliteit. Jullie hebben achter mij gestaan op de baan en in mijn leven. Wat ik ook heb gevonden, is inspiratie. Jullie hebben mij de bezieling gegeven om te winnen, juist in mijn meest donkere momenten. En ik vond vrijgevigheid. Jullie hebben mij jullie schouders gegeven om op te staan, zodat ik kon reiken naar mijn dromen. Dromen die ik nooit had verwezenlijkt zonder jullie. De laatste 21 jaar heb ik jullie gevonden, en die herinnering zal ik de rest van mijn leven met me meedragen.'

sche en bescheiden familievader die miljoenen doneert aan minderbedeelde kinderen. In de kleedkamer was Andre nooit echt opvallend aanwezig, maar op de baan kon je niet om hem heen. Ik zou het jammer vinden als alle ophef rond zijn toupet, het *tanken* van wedstrijden, de depressies, het drugsgebruik en zijn leugens tegen de ATP het belangrijkste is dat toekomstige tennisliefhebbers zich over Andre Agassi zullen herinneren. Je zou bijna vergeten dat de getormenteerde tennisser een fenomenale speler was. Zijn oog-handcoördinatie was ongeëvenaard. Het leek wel alsof hij de bal groter zag dan de rest van ons, want hij retourneerde zo scherp en zo snel dat je als tegenstander vaak op het verkeerde been stond. Dit was ook de reden waarom hij (als een van de weinigen) op alle ondergronden grand slams heeft gewonnen; waarom hij het tot de nummer 1-positie heeft gebracht en waarom hij Pete Sampras tot het uiterste kon drijven in hun onderlinge wedstrijden. Ik speelde graag tegen Andre, en als ik had geweten van zijn innerlijke worsteling had ik daar zeker eens met hem over willen praten. Tussen mij en mijn vader is het uiteindelijk weer goed gekomen, en ook Andre kan weer redelijk met Mike Agassi door één deur. Hoewel Mike in *Open* wordt afgeschilderd als een regelrechte tiran, vertelde Andre in een interview dat zijn vader geen problemen had met het verschijnen van het boek: ‘Hij zei dat het hem niks kon schelen wat andere mensen over hem zouden zeggen. Hij zei zelfs dat hij het zo weer zou doen. Maar dan met één verschil: hij zou mij nu laten golfen of baseballen, omdat die carrières langer duren.’

Donec quam felis, ultricies nec, pellentesque eu, pretium quis, sem.
Donec pede justo, fringilla vel, aliquet nec, vulputate
venenatis vitae, justo. Nullam dictum felis
Integer tincidunt. Cras dapibus. Vivamus elementum semper nisi.
eleifend tellus. Aenean leo ligula, porttitor eu, consequat vitae, eleifend
dapibus in, viverra quis, feugiat a, tellus. Phasellus viverra

JOHN MCENROE

BIJNAAM **MAC, MCNASTY**

GEBOORTEDATUM **16 FEBRUARI 1959**

GEBOORTEPLAATS **WIESBADEN, DUITSLAND**

WOONPLAATS **NEW YORK, NEW YORK, VS**

LENGTE **1.80M**

GEWICHT **75 KG**

PROFDEBUUT **1978**

GESTOPT **1992**

GEWONNEN GELD **$ 12.552.132**

HOOGSTE POSITIE **1**

NR 7

JOHN MCENROE

MCENROE- KRAJICEK: 1-2

- GRAND SLAMS ● **7** ●
- AUSTRALIAN OPEN ● **-** ●
- ROLAND GARROS ● **-** ●
- WIMBLEDON ● **1981** ● **1983** ● **1984** ●
- US OPEN ● **1979** ● **1980** ● **1981** ● **1984** ●
- ATP-ZEGES ● **51** ●

Veel tennisfans spreken nog met weemoed over de periode-McEnroe, waarin toptennissers nog 'echte' karakters waren die vloekend over de baan gingen. Maar hoewel ik als kind ook bijzonder gecharmeerd was van Johns korte lontje, begreep ik later dat het gewoonweg niet kán om je als proftennisser zo onbeschoft te gedragen. In 1990 riep John bijvoorbeeld het charmante: *'Go fuck your mother!'* naar de hoofdscheidsrechter, waarvoor hij terecht werd gediskwalificeerd. *The New York Times* noemde McEnroe destijds 'de slechtste promotie voor onze normen en waarden sinds Al Capone' maar zulke kwalificaties droegen alleen maar bij aan de mythevorming rond de tennisrebel. Het publiek was dol op het ongeleide projectiel, en veel mensen vinden het nog steeds jammer dat de proftennissers van nu aan allerlei strikte gedragscodes zijn gebonden.

John McEnroe was niet de eerste tennisser die compleet uit zijn dak kon gaan; de knotsgekke Ilie Năstase en de onbehouwen Jimmy Connors waren hem al voorgegaan. Dus wat maakte McEnroe nu zo bijzonder? Misschien dat zijn vroege bijnaam McNasty al een aanwijzing is: John kon ongelooflijk grof zijn. Hij schold met name lijnrechters ondersteboven, maar ook het publiek en de umpires moesten eraan geloven, waarbij het beroemde 'Je ziet net zo slecht als deze fucking bloemen, en die fucking bloemen zijn nota bene van plastic!' nog het minst aanstootgevend was. Zulk onaangepast gedrag werd zelden tot nooit vertoond in de relatief chique tennissport, en de toeschouwers smulden ervan. Maar McEnroe wist zijn *trash talking* ook te staven met resultaten. Onder

zijn rebelse 'het kan me niks schelen'-houding zat een fenomenale tennisser die het wel degelijk iets kon schelen; John was zeer ambitieus en eerzuchtig. Zo was hij immers opgevoed: presteren moest hij, anders vielen er klappen.

Zijn vader John (een voormalig US Air Force-officier en advocaat) en zijn moeder Kay waren heel streng voor hun zoon: hij moest hoge cijfers halen én uitblinken in sport. Net als ik vroeger kon de kleine McEnroe totaal niet tegen zijn verlies en huilde hij bij iedere verloren wedstrijd. Maar in tegenstelling tot bij mij thuis, kreeg John wél geregeld een tik van zijn vader. Hij werd bij verlies zelfs eens met een stok op zijn achterste geslagen. Toen hij een keer huilend thuiskwam nadat hij van zijn fiets was gevallen, keek zijn moeder Kay even naar zijn arm en zei: 'Niks aan de hand, je kunt gewoon naar de tennisbaan!' Drie weken later deed zijn arm nog steeds pijn en kwam de dokter tot de conclusie dat hij een bot had gebroken.

Dat soort gekte herken ik maar al te goed, want toen ik mijn enkelbanden had gescheurd, stuurde mijn vader mij met gipsen poot en al naar de training. Ik hoefde niet te lopen, maar ik kon toch zeker wel uit stand volleren? Nou dan. Hoewel ik als kind een enorme fan was van Björn Borg, herkende ik ook veel in John McEnroe. Toen ik in 1982 tien jaar was, werd ik nationaal kampioen tot en met twaalf. Ik tenniste destijds met Dunlop en dat was ook het racketmerk van McEnroe. Dunlop organiseerde een clinic voor jonge talentjes en ik werd uitverkoren om een kwartier met de superster te tennissen. Ik was helemaal door het dolle heen en had zelfs een zak gemengde drop voor hem meegenomen. 'Een pittig baasje dat zich niet gauw uit het veld zal laten slaan,' was het commentaar van de Amerikaan nadat we samen hadden getennist. Ik zweefde op een wolkje naar huis, alsof ik een middag in de nabijheid van een hogere macht had verkeerd.

Dat was ook zo, want 1981 was een absoluut topjaar voor John. Hij versloeg Björn Borg voor het eerst in de finales van Wimbledon en de US Open, en bereikte de nummer 1-positie op de wereldranglijst. De onderlinge wedstrijden tussen Borg en McEnroe vond ik buitengewoon fascinerend: een koele gletsjer tegen een oncontroleerbare vulkaan. De tennissport lééft van grote rivaliteiten; denk alleen al aan Sampras-Agassi of Federer-Nadal. Maar geen enkele *clash* was zo groot als die tussen Borg en McEnroe. Hun legendarische Wimbledonfinales zijn opgenomen in het collectieve ge-

heugen, en McEnroe vond het vreselijk dat Borg in 1981 zo plotseling stopte met tennissen. Hij heeft van alles geprobeerd om Björn weer op de baan te krijgen – al was het alleen maar omdat hij zelf zo genoot van de ophef die hun onderlinge strijd met zich meebracht.

In zijn imposante carrière won McEnroe maar liefst 77 singletitels, en 77 dubbeltitels, waarmee hij derde op de ranglijst aller tijden staat. Hij won drie keer Wimbledon en vier keer de US Open. Maar hoewel hij van 1981 tot 1984 de wereldranglijst aanvoerde, kreeg hij slechts weinig aanbiedingen van sponsoren. 'Als ik John McEnroe zie, dan zie ik een slechte verliezer,' zei een directeur van een groot Amerikaans reclamebureau. 'Daar zou ik mijn product niet mee willen associeren.' Uiteindelijk ging het jonge, tegendraadse sportmerk Nike voor ongehoord veel geld met de oproerkraaier in zee en samen creëerden ze een legendarische poster waarop John staat afgebeeld als James Dean in *Rebel Without a Cause*.

Want een rebel, dat was hij zeker. Toen McEnroe in 1981 voor het eerst Wimbledon won, ging hij tot verbijstering van de organisatie niet naar het officiële *champions dinner* in het chique Savoy. 'Ik wilde de avond doorbrengen met mijn familie en vrienden, en de mensen

die me hadden gesteund,' zei hij later tegen de sportzender ESPN, 'en niet met een stijf zooitje zeventig- à tachtigjarigen, die mij toch alleen maar gingen vertellen dat ik me als een eikel had gedragen.'

John gedijde als tennisser bijzonder goed met een zelfgecreëerd vijandbeeld. De serieuze Ivan Lendl heeft zich jarenlang geërgerd aan de agressiviteit die McEnroe mee naar de baan bracht: 'John haat iedereen die hem kan verslaan,' verzuchtte Lendl eens. 'Eerst haatte hij alleen mij en Connors. Nu moet hij de hele top vijftig haten.' Lendls irritatie werd nog eens extra gevoed door het feit dat hij zeer fanatiek en langdurig trainde, terwijl John er prat op ging dat hij zelden tot nooit in het krachthonk of op de trainingsbaan te vinden was. McEnroe was dan ook totaal niet gespierd; zijn bovenarmen waren ongeveer even dik als zijn polsen. Hij had echter een briljante anticipatie en een onwaarschijnlijke oog-handcoördinatie. Zijn service was niet hard maar wel fantastisch geplaatst en met veel effect geslagen. Maar zijn sterkste wapen was zijn eerzucht. Hij háátte verliezen en liep zich de benen uit zijn lijf om een wedstrijd naar zich toe te trekken. Als hij dan toch verloor, kreeg je vaak de minder aangename kanten van Johns karakter te zien.

In 1992 speelde ik voor het eerst tegen mijn jeugdidool op het toernooi van Toulouse. Nadat ik in twee setjes nogal makkelijk van hem had gewonnen, waande ik mij even in *The Twilight Zone*. Als kind had ik letterlijk en figuurlijk tegen hem opgekeken, maar nu torende ik ver boven hem uit. Toch was ik niet blij met mijn overwinning; ik had natuurlijk veel liever tegen hem gespeeld in zijn hoogtijdagen. Een paar maanden later bleek echter dat de oude vos zijn streken nog lang niet was verleerd. Ik moest weer tegen hem spelen, nu in Brussel. Ik had last van mijn schouder en John stak ook niet lekker in zijn vel. Hij liep te kankeren op alles en iedereen, eiste dat een lijnrechter werd vervangen, ruziede met de scheidsrechter, raakte me (bewust) voluit met een volley en legde steeds maar weer het spel stil. Op een gegeven moment ging ik maar op mijn stoel zitten wachten tot hij klaar was met bekvechten, maar bevorderlijk voor mijn concentratie was dat natuurlijk niet. McEnroe profiteerde onmiddellijk en won de partij alsnog. Ik kon mezelf wel voor mijn kop slaan! Toen we voor de derde en laatste keer tegenover elkaar stonden, heb ik dan ook bewust de andere kant opgekeken als hij weer eens begon te kiften met deze of gene, en won ik in twee sets.

In 2002 kwamen zijn woede-uitbarstingen echter in een heel ander licht te staan. Zijn ex-vrouw Tatum O'Neill maakte bekend dat John jaren cocaïne had gebruikt en ook zes jaar lang injecties met anabolen-steroïden had genomen. Uiteindelijk had zij hem gevraagd ermee te stoppen omdat hij er agressief van werd. John reageerde als door een wesp gestoken, maar tot mijn verbijstering gaf hij zijn drugsgebruik vervolgens toe in zijn biografie *You Cannot Be Serious*. In een choquerend interview in 2004 met de *Daily Telegraph* bekende McEnroe zelfs dat hij inderdaad anabolen had gebruikt, maar dat hij destijds 'niet precies' had geweten 'wat het was'. Enkele dagen later herriep John dat bericht weer. Toen zei hij opeens dat het injecties met ontstekingsremmende steroïden, butazolidine en prednison waren geweest. Noem me naïef maar deze ontboezemingen, samen met die van Andre Agassi en Boris Becker, hebben me echt geraakt. McEnroe aan de doping? Alleen al het idee vond ik een smet werpen op de naam en faam van een van de meest geniale tennissers aller tijden. Maar opvallend genoeg heeft niemand er lang bij stilgestaan. Wat kun je er nu ook nog over zeggen, zo veel jaar na dato?

JOHN MCENROE OVER TENNIS:

'Mijn sterkste punt is dat ik geen zwakke punten heb.'

'Het is makkelijker om vijanden te hebben dan vrienden – vooral als die vrienden je collega-proftennissers zijn en je onderweg bent om de nummer één van de wereld te worden.'

De meeste jongeren kennen John McEnroe vooral als tenniscommentator en daarin is hij werkelijk meesterlijk. Ik ben het niet altijd eens met zijn analyses (en hij praat nog steeds iets te veel over zijn favoriete onderwerp: zichzelf), maar hij weet een wedstrijd wél boeiend te maken. Dat geldt ook voor zijn wedstrijden op de Senior's tour. De beroepsquerulant trekt niet alleen nog steeds volle zalen, maar haalt bij zijn tegenstanders ook nog altijd het bloed onder de nagels vandaan. Hij geeft je geen game cadeau en heeft helemaal niets met het idee dat seniorenwedstrijden ook een beetje als entertainment zijn bedoeld. Hij komt om te winnen, grijze haren of niet. En misdragen doet hij zich ook nog volop.

'Mijn wangedrag is voor de helft gespeeld,' grapte hij tegen *Sportweek* over zijn deelname aan de AFAS Tennis Classics van Paul Haarhuis en Jacco Eltingh. 'In mijn contract staat dat ik me af en toe moet misdragen, anders krijg ik niet betaald.' Niet alle oud-tennissers kunnen dat echter waarderen. De voormalige Australian Open-kampioen Johan Kriek raakte een tijdje geleden zó geïrriteerd door de scheldpartijen van McEnroe dat hij eiste dat John door de seniorentour zou worden geroyeerd.

Dat zal de charismatische McEnroe niet zo snel overkomen. Hij is tenslotte een levende legende en het publiek vindt het nu eenmaal fantastisch wanneer hij uit zijn dak gaat. Maar in 2008 kreeg hij het wel voor elkaar om weer eens ouderwets wegens wangedrag te worden gediskwalifeerd, dit keer tijdens de Hall of Fame Champions Cup in Newport 'Ik kan een heleboel hebben,' zei zijn tegenstander MaliVai Washington, 'discussies over *line calls*, het stilleggen van het spel. Maar ik kan er niet tegen wanneer mijn tegenstander omstanders, fans en scheidsrechters gaat uitschelden.'

Ondanks zijn onverbeterlijke karakter vind ik het erg leuk dat John en ik nu samen op de 'oudeknarrentour' actief zijn. Als kind heb ik hem bewonderd, als prof heb ik tegen hem gespeeld, en hij was commentator bij veel van mijn Wimbledon- en US Open-partijen. Maar niemand vindt John McEnroe leuker dan John McEnroe zelf. Toen hij in 1999 werd opgenomen in de International Tennis Hall of Fame in Newport hield hij een ongehoord lange speech, waarin hij zei dat God 'of iets anders daarboven' had gewild dat hij zou tennissen. 'Geloof het of niet,' zei hij, 'maar ik denk dat God het hartstikke leuk heeft gevonden om naar mijn woede-uitbarstingen te kijken.'

WILLIAM TATEM TILDEN
BIJNAAM **BIG BILL, GENTLEMAN BILL**
GEBOORTEDATUM **10 FEBRUARI 1893**
OVERLEDEN **5 JUNI 1953**
GEBOORTEPLAATS **PHILADELPHIA, PENNSYLVANIA, VS**
PROFDEBUUT **1912**
GESTOPT **1938**
HOOGSTE POSITIE **1**

NR 8

WILLIAM TATEM 'BILL' TILDEN

GRAND SLAMS ● **10** ●
AUSTRALIAN OPEN ● **-** ●
ROLAND GARROS ● **-** ●
WIMBLEDON ● **1920** ● **1921** ● **1930** ●
US OPEN ● **1920** ● **1921** ● **1922** ● **1923** ● **1924** ● **1925** ● **1929** ●
ATP-ZEGES ● **51** ●

William 'Big Bill' Tilden is misschien wel de meest kleurrijke tennisser die ooit heeft geleefd. Hoewel hij in de vergetelheid is geraakt, werd hij in 1950 nog door de Amerikaanse sportjournalisten met grote afstand gekozen tot de beste atleet van de eerste helft van die eeuw – en dat met concurrentie van iconen als Babe Ruth, Jack Dempsey, Johnny Weissmuller en Bobby Jones. Maar wie was dan deze veelvoudige tenniskampioen? En waar is hij gebleven? De beginjaren van William Tilden waren bijzonder dramatisch. Hij was een kind van rijke ouders die niet door het noodlot werden gespaard. Nog vóór Bill in 1893 werd geboren, stierven drie broertjes en zusjes van hem in een difterie-epidemie. Zijn ouders kregen na die tragedie nog twee kinderen: Bill en zijn broer Herbert. Toen Tilden vijftien jaar was, belandde zijn moeder door een ziekte in een rolstoel. Zij stierf toen hij achttien was, en drie jaar later verloor hij zijn vader aan een nierinfectie. Enkele maanden daarna overleed ook zijn broer Herbert aan een longontsteking. Op zijn 22ste verjaardag was Bill Tilden de enige overlevende van het ooit zo grote gezin. Geschokt en verward stopte hij met zijn studie, verhuisde naar zijn tante en liep enige jaren met zijn ziel onder de arm. Omdat hij als tiener veel plezier had gehad op de tennisbaan, moedigde zijn tante hem aan om zijn racket weer eens op te pakken. Hoewel de atletische Tilden zeker talent had, nam hij de sport in het begin niet al te serieus. Hij maakte er vaak een dolletje van en vond het moeilijk om met autoriteit om te gaan.

Na enige jaren bleek echter dat hij zowel lichamelijk als geestelijk flink was gegroeid. Het weeskind William was veranderd in Big Bill: een beer van een vent, met twee kolenschoppen van handen en een enorme reikwijdte in zijn armen. In 1920 won hij zijn eerste singletoernooi, en stoomde daarna meteen door naar Wimbledon, dat hij als allereerste Amerikaan op zijn naam zette. Vanaf dat moment was er geen houden meer aan. Hij bereikte zes keer de finale van Wimbledon en stond ook tien keer in de finale van de US Open. Big Bill Tilden speelde in zijn amateurperiode 192 toernooien, waarvan hij er maar liefst 138 won. In 1925 won hij 57 wedstrijden op rij, een onvoorstelbaar aantal. Op de onofficiële ranking van die tijd zou hij zeven jaar de nummer 1-positie bezetten.

Hij bracht niet alleen het Amerikaanse Davis Cup-team tot grote hoogte, maar ook de tennissport an sich. Meer dan welke speler ook heeft Tilden ervoor gezorgd dat tennis een populaire kijksport werd. Dat was het namelijk helemaal niet. In de publieke opinie was tennis geen échte sport, zoals voetbal of baseball, maar de elitaire vrijetijdsbesteding van nuffige rijkelui in smetteloos witte pakjes. De atletische Tilden daarentegen comb
neerde zijn imponerende gestalte met zijn fa
meuze *cannonball*-service en een moker va
een forehand. Overal ter wereld kreeg hij he
dolenthousiaste publiek op zijn hand doo
steevast van een achterstand terug te vechte
naar de overwinning. Hoewel hij het noo
heeft toegegeven, is het vrijwel zeker dat Ti
den zich met opzet in een achterstandspos
tie manoeuvreerde om zijn wedstrijden ext
spannend te maken.

Big Bill Tilden was een geboren showman: h
voelde feilloos aan dat het publiek in de *roa
ring twenties* genoot van een beetje theate
Hoewel hij van 1920 tot 1930 het Europes
en Amerikaanse tenniscircuit heeft gedom
neerd, zag hij zichzelf vooral als een perfo
mer. Hij beschouwde iedere wedstrijd a
een toneelstuk met Bill Tilden als de hoofd
rolspeler, en trakteerde zijn toeschouwers o
drama, heroïek en humor. Die humor gin
niet zelden ten koste van zijn tegenstanders
Zo pakte hij graag vier ballen in één hand, o
vervolgens zo achteloos mogelijk vier aces o
rij te slaan. Ook zette hij geregeld zijn tegen
standers voor schut met een gekmakend
regen van dropshots en lobs, gecombineer
met listige slices en zwiepende forehand

Tilden wilde echter niet alleen op de tennisbaan schitteren; hij droomde van een carrière als een echte acteur. Grote delen van zijn erfenis en nagenoeg al zijn prijzengeld spendeerde hij aan het opvoeren van zijn eigen toneelstukken, waarin hij uiteraard zelf de hoofdrol speelde. Het floppen van al die ondernemingen stond in schril contrast met het enorme succes van zijn boeken en artikelen over tennis. Ondanks zijn flamboyante manier van doen, was Bill Tilden de eerste die de technische, tactische en mentale aspecten van de tennissport zeer goed onder woorden wist te brengen. Hij schreef een aantal klassiekers, zoals *The Art of Lawn Tennis* en *Match Play and the Spin of the Ball*. Toen John Newcombe in 1967 Wimbledon had gewonnen, vroeg een journalist hoe en waar hij had leren tennissen. Newk antwoordde: 'Met het boek van Bill Tilden,' met zo'n toon van: iedereen toch?

Tildens internationale successen en zijn interesse in de showbusiness hadden hem veel beroemde vrienden opgeleverd. Hij verhuisde naar Hollywood en gaf les aan filmsterren als Greta Garbo en Katherine Hepburn. Hij was ook aanwezig op de tennisfeestjes van Charlie Chaplin, en speelde daar met mannen als Errol Flynn en Spencer Tracy. Na zijn laatste Wimbledon-titel, die hij veroverde in 1930, verliet hij het amateurtennis om wat geld gaan verdienen op de proftour, die toen nog in de kinderschoenen stond. Vijftien jaar lang zat hij in een soort rondreizend circus, met andere voormalige nummer 1-spelers als Fred Perry en Don Budge, maar het publiek hield duidelijk het meest van Big Bill Tilden.

Aan die adoratie kwam een zeer abrupt einde toen Tilden in 1946 werd gearresteerd wegens 'poging tot verleiding van een minderjarige'. De tenniskampioen bleek homoseksueel te zijn, iets wat in die tijd absoluut niet werd geaccepteerd. Toen een jonge student aangaf dat Tilden toenadering tot hem had gezocht, draaide Big Bill tot ieders verbijstering meer dan zeven maanden de gevangenis in. Men reageerde gechoqueerd op het geheim dat de macho atleet al die jaren verborgen had weten te houden. Veel van zijn beroemde vrienden keerden hem de rug toe, en zijn foto werd zonder pardon uit de chique tennis- en countryclubs verwijderd. Het feit dat hij in 1949 wederom werd gearresteerd, maakte het er niet beter op. Deze keer beschuldigde een zestienjarige lifter Tilden van ongewenste intimiteiten, en ditmaal verdween de atleet voor tien maanden achter de tralies. Of er daadwerkelijk iets is voorgevallen tussen Big Bill en deze jongens is nooit helemaal duidelijk geworden. Het was een extreem homofobische tijd, waarin ieder gerucht genadeloos werd afgestraft. Collega's van Tilden kwamen nog getuigen dat hij tijdens zijn hele carrière nooit één onvertogen woord had laten vallen en geen enkele leerling onheus had bejegend, maar het mocht niet meer baten.

Nadat Tilden zijn gevangenisstraf had uitgezeten, werd hij in de tenniswereld met de nek aangekeken. Hij mocht bijna nergens meer lesgeven en werd buitengesloten uit het lucratieve demonstratiecircuit. Door iedereen verlaten bracht hij zijn laatste jaren in armoede door. Hij bewoonde een klein kamertje in een pension en moest zijn trofeeën verpanden om te kunnen eten. Hoewel hij al in de vijftig was, bleef hij voor wat extra inkomen tennissen op de toernooien waar hij wel werd toegelaten. In 1953 vond zijn hospita hem dood in zijn kamer. De grote Big Bill Tilden was in alle eenzaamheid gestorven aan een hartaanval. Zijn tennistas, zijn enige bezit, stond ingepakt naast zijn bed; klaar voor de US Open.

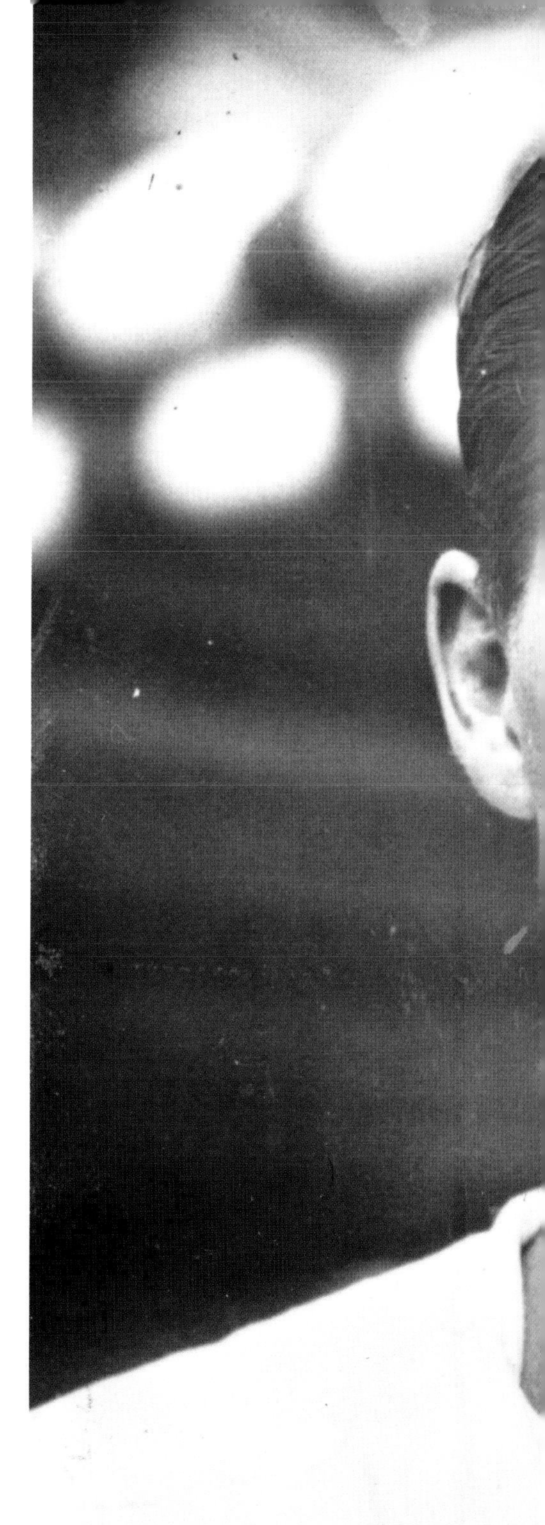

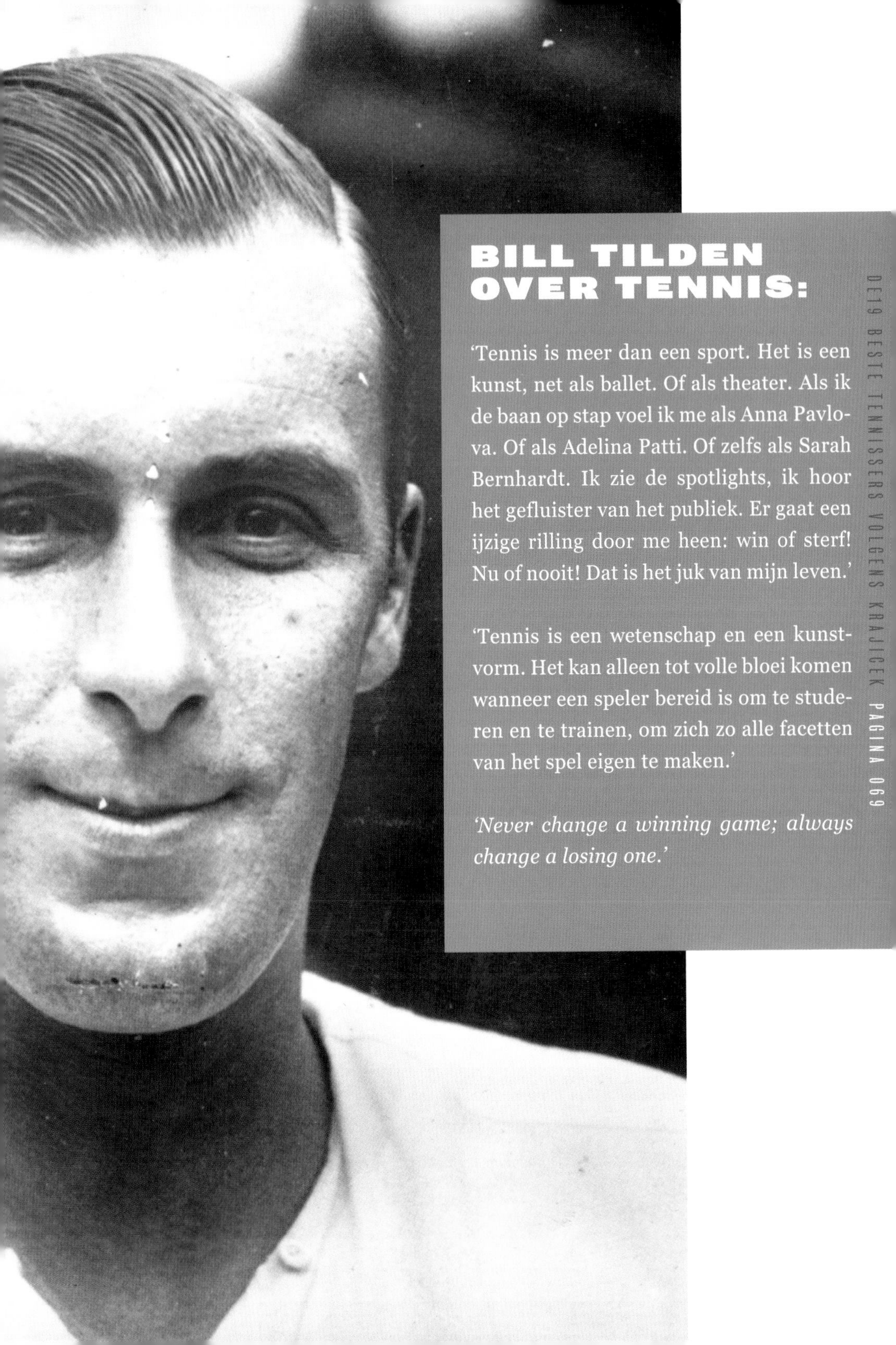

BILL TILDEN OVER TENNIS:

'Tennis is meer dan een sport. Het is een kunst, net als ballet. Of als theater. Als ik de baan op stap voel ik me als Anna Pavlova. Of als Adelina Patti. Of zelfs als Sarah Bernhardt. Ik zie de spotlights, ik hoor het gefluister van het publiek. Er gaat een ijzige rilling door me heen: win of sterf! Nu of nooit! Dat is het juk van mijn leven.'

'Tennis is een wetenschap en een kunstvorm. Het kan alleen tot volle bloei komen wanneer een speler bereid is om te studeren en te trainen, om zich zo alle facetten van het spel eigen te maken.'

'Never change a winning game; always change a losing one.'

JIMMY CONNORS
BIJNAAM JIMBO
GEBOORTEDATUM 2 SEPTEMBER 1952
GEBOORTEPLAATS BELLEVILLE, ILLINOIS, VS
WOONPLAATS BELLEVILLE, ILLINOIS, VS
LENGTE 1.77 M
GEWICHT 70 KG
PROFDEBUUT 1972
GESTOPT 1995
GEWONNEN GELD $ 8.641.040
HOOGSTE POSITIE 1

NR 9 JIMMY CONNORS

- GRAND SLAMS ● **8** ●
- AUSTRALIAN OPEN ● **1974** ●
- ROLAND GARROS ● **-** ●
- WIMBLEDON ● **1974** ● **1982** ●
- US OPEN ● **1974** ● **1976** ● **1978** ● **1982** ● **1983** ●
- ATP-ZEGES ● **109** ●

In 1991 verloor ik volkomen onnodig in de tweede ronde van het French Open van Michael Stich. Ik had in de eerste drie sets maar liefst 22 breakpoints weten te verprutsen, terwijl Michael er aan één genoeg had. Na afloop was ik behoorlijk down, want als tennisser krijg je maar vier kansen per seizoen op eeuwige roem. Ik was pas twintig jaar, maar toch voelde ik de tijd tikken. Een tenniscarrière is kort, blessures liggen altijd op de loer en de aanvoer van jonge talenten is eindeloos.

Twee jaar later zou ik in Parijs de halve finale halen, maar daar had ik na de wedstrijd tegen Stich niets aan, omdat je nu eenmaal niet in de toekomst kunt kijken. En toch kreeg ik in 1991 wel degelijk een glimp van de toekomst te zien, in de vorm van Jimmy Connors. Want terwijl ik in de kleedkamer mijn rusteloze hoofd weer wat op orde probeerde te krijgen, zag ik op de monitor dat de 38-jarige Jimmy Connors nog steeds bezig was aan zijn derde-ronde-partij tegen de negentienjarige Michael Chang. De legendarische kampioen liep zich de benen uit het lijf en het publiek stond op de banken. Steeds meer spelers bleven in de kleedkamer hangen, en samen keken we vol bewondering naar het doorzettingsvermogen van de taaie Amerikaan. Maar uiteindelijk moest Jimmy in de vijfde set opgeven; hij kón gewoon niet meer. Opgeven zat eigenlijk niet in zijn DNA. Hij spuugde nog liever bloed dan dat hij de handdoek in de ring gooide. Maar die dag ging het echt niet meer, en Connors verliet onder een staande ovatie de baan. Ik weet nog goed hoe hij doodmoe en bezweet de catacomben in kwam, en dat wij hem daar stonden op te wachten. Iemand begon te klappen, en alle aanwezige spelers gaven de oude meester een langdurig applaus.

'Ik heb me kapot gelopen,' zei hij even later in de persconferentie, 'mijn rug is stijf, en ik voel me klote. Maar jongens, wat was het léuk! Om een stadion zo op zijn kop te zetten, dat is een kick, gewoon ongelooflijk.' Ondanks zijn opgave putte ik veel moed uit de krachttoer van Connors. Het hoeft niet binnen tien jaar voorbij te zijn, dacht ik opgewekt, kijk maar naar Jimmy. Die doet al bijna 25 jaar mee – en hij heeft er nog lol in ook!

Maar er was natuurlijk maar één Jimmy Connors. Na hem heeft nooit meer iemand zo'n lange carrière gehad. De man was letterlijk en figuurlijk niet van de baan te slaan. Zijn opgave in Parijs had hem geenszins van zijn stuk gebracht. Hij was zelfs vastbesloten om in ieder geval op 'zijn' US Open (het toernooi dat hij maar liefst vijf keer had weten te winnen) nog eens ouderwets te gaan vlammen. Connors kwam met een wildcard het toernooi binnen en versloeg in de eerste ronde Patrick McEnroe, toen Michiel Schapers, daarna Karel Nováček en in de kwartfinale Paul Haarhuis. De inmiddels 39-jarige Connors strandde pas in de halve finale tegen Jim Courier, en was daarmee de oudste halve-finalist sinds Ken Rosewall, die hij zeventien jaar eerder nota bene zelf in de finale had verslagen. De US Open werd in 1991 gewonnen door Stefan Edberg, maar eerlijk gezegd is iedereen dat vergeten. Het toernooi stond dat jaar vooral in het teken van de onverwoestbare Jimmy Connors. Wat dat betreft had de Amerikaan een speciale gave: wie er ook meededen en wat er ook gebeurde – de aandacht (positief of negatief) ging meestal naar Connors.

James Scott Connors werd in 1952 geboren als tweede zoon van een politieagent en een tennislerares. Zijn moeder Gloria was bezeten van het spelletje; een karaktereigenschap die ze had geërfd van haar eigen moeder, oma Bertha. Nadat zijn broer John wel talent maar geen doorzettingsvermogen bleek te hebben, was de kleine Jimmy aan de beurt. Vanaf het moment dat hij een jaar of twee was, stortten oma Bertha en moeder Gloria zich op de dreumes: hij moest en zou een toptennisser worden. De jongen werd door de beide dames keihard aangepakt maar scheen daar niet erg onder te lijden. Sterker nog: Connors heeft altijd gezegd dat hij zijn winnaarsmentaliteit aan zijn moeder en zijn oma had te danken – en zijn slechte manieren waarschijnlijk ook. 'Ik heb Jimmy geleerd om een tijger te zijn op de baan,' zei Gloria later. 'Als ik een bal recht in zijn strot kon slaan, dan deed ik dat, ook toen hij klein was. Dan zei ik: "Kijk Jimmy, zelfs je moeder schrikt daar niet voor terug."'

Het lukte Connors pas op zijn zestiende om zijn moeder te verslaan. Drie jaar later werd hij prof en prompt won hij zijn eerste toernooi. Daar zouden nog 138 toernooien bij komen; een onvoorstelbaar aantal. In 1973 won hij zijn eerste grote titel, de US Pro Singles, in een slopende vijfsetter tegen de favoriet Arthur Ashe. Connors en Ashe waren vanaf hun allereerste ontmoeting water en vuur. De twee Amerikaanse giganten hebben nooit met elkaar overweg gekund, en deze onderlinge afkeer heeft Connors mogelijk een grand slam gekost.

Arthur Ashe was de eerste voorzitter van de in 1972 opgerichte ATP. Connors besloot daar als enige prof geen lid van te worden, en organiseerde tot ergernis van de ATP samen met zijn manager Bill Riordan een succesvolle reeks eigen toernooitjes. Ook sloot hij een contract om World Team Tennis te spelen; iets wat de ATP eveneens afkeurde, want zij wilden juist van al die losse 'kermiskoersen' af. In 1974 beleefde Jimmy een waanzinnig succesvol jaar. Hij won de Australian Open en vele andere toernooien, maar werd vervolgens door de ATP uitgesloten van Roland Garros vanwege zijn 'illegale' verbintenis met het World Team Tennis. Daarop begon Connors een rechtszaak tegen de ATP en tegen Arthur Ashe, omdat hij zich geremd voelde in zijn keuzevrijheid. Onderwijl ging hij gewoon door met tennissen. Hij won Wimbledon en de US Open, en werd de nummer één van de wereld. Connors was in 1974 op alle ondergronden zó dominant, dat hij een verdomd goede kans had gehad om ook het French Open te winnen. Daarmee zou hij als eerste man na Rod Laver het Grand Slam hebben bereikt, het winnen van alle vier de grand slams in één jaar – iets waarvoor hij nooit meer de kans heeft gekregen, en wat hij Arthur Ashe altijd kwalijk is blijven nemen. Toen de tactisch zeer begaafde Ashe hem in 1975 door slim te spelen ook nog de Wimbledon-titel ontfulselde, kwam bij Connors helemaal de stoom uit de oren. De rechtszaak werd uiteindelijk achter gesloten deuren geschikt, maar Jimmy heeft Roland Garros nog vijf jaar lang gemeden als de pest. Uiteindelijk kwam het weer goed tussen Connors en het French Open, maar niet tussen Connors en Ashe. Zelfs jaren na de dood van Ashe kon Jimmy het niet opbrengen om in 1997 naar de inauguratie van het Arthur Ashe Stadium op de US Open te gaan.

Nu kon niemand een rivaliteit zó cultiveren als Jimmy Connors. Hij was niet alleen een competitief beest op de baan, maar ook een onbehouwen boer met een tamelijk vulgaire inslag. Hij stak zijn middelvinger op naar lijnrechters, paradeerde geregeld met zijn racket suggestief tussen zijn benen en maakte obscene gebaren met het handvat als hem een line call niet beviel. Hij had ook een haat-liefdeverhouding met het publiek. Hij vond het heerlijk als ze tegen hem waren; daar bloeide hij vreemd genoeg helemaal van op. Maar hij kon ook als geen ander het publiek achter zich krijgen, en dan ging hij als een ware showman nog veel beter spelen. Connors vond winnen in drie setjes zonde van de tijd. Hij leefde voor de grote, uitputtende vijfsetters en al het bloedspugen dat zulke partijen met zich meebrachten. Maar ondanks zijn slechte manieren was hij anders dan John McEnroe. Connors was meer een boerenpummel en een man van het volk, terwijl John, zoon van een advocaat, een echte naarling kon zijn. Het zal niemand verbazen dat Connors geen fan was van het jonge talent uit New York. Maar de doorbraak van McNasty had één voordeel voor Connors: hij leek opeens een iets minder grote eikel. 'Ik weet niet of ik echt zo veel veranderd ben,' zei hij daar in 1984 zelf over. 'Ze hebben gewoon iemand gevonden die nog veel erger is.'

McEnroe wond er ook geen doekjes om: 'Er waren wedstrijden dat ik Jimmy zó graag wilde verslaan dat ik hem wel wilde wurgen,' bekende hij later aan *Tennis Week*. 'Hij was de ultieme vechtmachine, de ultieme hustler, de ultieme mannetjesputter. Jimmy was de enige speler tegen wie ik zó hard stond te knokken, en dan keek ik aan de andere kant van het net, en dan zag ik dat hij nog veel harder stond te knokken. Hij haatte verliezen.'

Naast McEnroe had Connors nog twee andere grote namen in zijn ergernis top drie: de stoïcijnse Björn Borg ('Ik zal die klootzak volgen naar het einde van de wereld. Elk toernooi dat hij speelt, daar sta ik te wachten. Overal waar hij is, daar ziet hij mijn schaduw!') en de serieuze Ivan Lendl, wiens bloed hij wel kon drinken. Waren al deze vetes echt, of werden ze door de uitge-

ookte Connors bewust uitvergroot? We zul-
en het nooit weten. Feit is dat de kranten er
ol van stonden en dat de stadions uitpuil-
len van de mensen. Grandslamfinales tus-
en Connors enerzijds en McEnroe, Borg of
endl anderzijds stonden garant voor spanning en sensatie, en torenhoge kijkcijfers.

Mijn vader was destijds een grote fan van
Connors en ik van Björn Borg, dus tijdens
un wedstrijden liep de spanning ook thuis
oor de televisie hoog op. Connors bena-
lerde iedere finale als een bokser, met veel
rootspraak en thrash talking. Zijn manager
Bill Riordan doopte hem dan ook Heavy-
veight Champion of Tennis, en organiseer-
le verschillende 'prijsgevechten' in Caesar's
Palace in Las Vegas. De hele setting deed me
ehoorlijk aan die andere hustler denken,
Bobbie Riggs, over wie verderop in dit boek
og een interessant hoofdstuk te vinden is.

In februari van 1975 daagde hij de veer-
ien jaar oudere tennislegende Rod Laver
it voor een *winner-takes-all* wedstrijd om
en bedrag van 100.000 dollar. Connors
von, en stopte ook de opbrengsten van de
v-rechten in zijn zak. Twee maanden later
aalde hij hetzelfde kunstje nog eens uit met
ohn Newcombe, die hem in de finale van
le Australian Open van dat jaar nog versla-

JIMMY CONNORS OVER TENNIS:

'Heb uw vijanden lief – daar kan ik niks mee op de baan. Het liefst wil ik mijn tegenstanders verpletteren.'

'Degene die wint is degene die harder wil lopen, beter zijn best wil doen, meer wil geven. En diegene, dat ben ik.'

'Als ik Federer was, zou ik erg blij zijn met mijn positie. Al zijn collega's schijnen er tevreden mee te zijn dat hij de nummer één is en zij een beetje meezwemmen. In plaats van harder te trainen en beter hun best te doen, in plaats van hem in te halen, hem te verslaan en hem naar beneden te werken, laten ze hem zijn gang gaan. Daarom ben ik zo'n fan van Nadal. Hij heeft de handschoen opgepakt, en hem al drie keer op rij verslagen. Tennis heeft dat soort rivaliteit nodig.'

gen had. Hij verleidde de Australiër met een pot van 250.000 dollar, en weer won Jimmy Connors zelf. En om de gelijkenis met Bobby Riggs helemaal compleet te maken, organiseerde hij in 1992 op zijn 40ste een 'Battle of the Sexes' tegen Martina Navratilova. Connors mocht maar één keer serveren, en Navratilova mocht de helft van de dubbellijnen gebruiken, maar Jimmy won alsnog met 7-5, 6-2.

De onverslijtbare Jimmy Connors is uiteindelijk tot zijn 44ste ATP-toernooien blijven spelen. Daarna stapte hij naadloos over naar de (door hemzelf opgezette) seniorentour, die hij vervolgens ook nog jarenlang zou domineren. Hij was een tijdje de coach van Andy Roddick en verbaasde vriend en vijand door samen met niemand minder dan John McEnroe tenniscommentaar te gaan leveren bij de BBC. Niet dat de heren altijd even gemoedelijk achter de microfoon zitten; ze proberen elkaar geregeld vliegen af te vangen en kibbelen soms hele games vol.

Van de huidige generatie proftennissers is Connors vooral gecharmeerd van de intensiteit van Rafael Nadal: 'Zijn passie, zijn emotie en datgene wat hij probeert over te brengen op het publiek – dat is voor mij waar tennis over gaat,' zei hij onlangs over de Spaanse gravelkoning. Voor Jimmy Connors zijn intensiteit en emotie nog steeds de twee belangrijkste ingrediënten van een échte topper; eigenschappen die hij zegt te missen in het tennis van vandaag. Wat dat betreft waren zijn eigen woorden van eind jaren tachtig profetisch: 'Ik pak dingen bij de strot en ik schud ze door elkaar. Ik sta achter alles wat ik doe, goed of slecht. Ze zullen me nog missen als ik er niet meer ben.'

RAFAEL NADAL

BIJNAAM **RAFA, THE BULL, EL MATADOR, EL REY DEL CLAY, THE KING OF CLAY**

GEBOORTEDATUM **3 JUNI 1986**

GEBOORTEPLAATS **MANACOR, MALLORCA, SPANJE**

WOONPLAATS **MANACOR, MALLORCA, SPANJE**

LENGTE **1.85 M**

GEWICHT **85 KG**

PROFDEBUUT **2001**

GEWONNEN GELD **$ 27.224.163**

HOOGSTE POSITIE **1**

NR 10
RAFAEL NADAL

- GRAND SLAMS ● **6** ●
- AUSTRALIAN OPEN ● **2009** ●
- ROLAND GARROS ● **2005** ● **2006** ● **2007** ● **2008** ●
- WIMBLEDON ● **2008** ●
- US OPEN ● **-** ●
- ATP-ZEGES ● **36** ●

Het had niet veel gescheeld of Rafael Nadal was een voetballer geworden. Zijn oom Miguel Ángel Nadal speelde voor Barcelona en in het Spaanse nationale elftal, en Rafael zelf bleek ook een getalenteerde speler te zijn. Gelukkig was zijn tennistalent nog veel groter, zodat hij onze sport heeft kunnen verrijken met zijn ongeëvenaarde inzet, kracht en volharding. Al zo lang als ik tennis heb ik nog nooit een speler gezien die mentaal zó sterk is als Rafael Nadal. Hij staat daarmee op eenzame hoogte, met de Oostenrijker Thomas Muster op nummer twee.

Als ik Roger Federer met Salinero zou vergelijken (het elegante, prijswinnende raspaard van Anky van Grunsven), dan is Nadal een Fries werkpaard: indrukwekkend, langharig, gespierd en met een paar flinke poten. Zijn intimiderende fysieke verschijning gecombineerd met zijn verwoestende forehand en zijn stalen geest hebben van Nadal dé angstgegner van Roger Federer gemaakt.

Ook andere toptennissers zijn van Nadal onder de indruk. 'Deze jongen is een beest,' zegt Sampras, 'hij geeft gewoon níet op!' In zijn autobiografie *Open* noemt Agassi Rafael 'een bruut, een freak, een natuurkracht; ik heb nog nooit zo'n sterke en soepele tennisser gezien.' 'Hij is mijn favoriete speler om naar te kijken,' voegt Andy Murray daaraan toe, 'hij is zó competitief. Je krijgt het gevoel dat hij zijn tegenstanders wil uitroeien.' De Zwitserse journalist Thomas Stephens schreef in de zomer van 2009 een lofzang op de fantastische carrière van Federer, en noemde Rafael daarbij 'de Spaanse vlieg in de soep'. Ik denk echter dat Nadal wel iets meer is dan dat.

Van de zeven grandslamfinales die de beide giganten tot nu toe tegen elkaar speelden, won Rafael er maar liefst vijf. In hun onderlinge Masters Series-finales staat de stand op 5-3 voor Nadal. In totaal speelden zij twintig keer tegen elkaar, waarbij Nadal dertien keer won. Dat is geen vlieg in je soep, dat is iemand die jouw bord soep staat leeg te eten. Nadal heeft Federer ook al eens afgelost als de nummer één van de wereld, maar door blessureleed (tendinitis in zijn knieën en een gescheurde buikspier) moest hij die positie in 2009 weer afstaan aan de Zwitser.

De rivaliteit tussen Nadal en Federer was van meet af aan opmerkelijk te noemen. Rafa won zijn eerste ATP-wedstrijd al op vijftienjarige leeftijd, en het duurde niet lang of ik hoorde van allerlei mensen binnen de tenniswereld dat er een Spaans talent zat aan te komen dat ongekende kwaliteiten had. In 2003 werd Nadal gekozen tot Nieuwkomer van het Jaar. In 2004 stond de zeventienjarige Rafa voor het eerst tegenover Roger Federer, toen al de nummer één van de wereld, en de uitslag van die wedstrijd zou veelbetekenend zijn: Federer werd met 6-2, 6-3 naar huis gestuurd. Nadal won dat jaar zijn eerste ATP-titel, maar zijn daadwerkelijke doorbraak kwam in 2005. Toen won hij maar liefst negen toernooien, en bij zijn allereerste deelname aan Roland Garros won hij dat ook maar meteen. Nadal stootte door naar de tweede plaats van de wereldranglijst, waar hij drie jaar lang zou azen op de toppositie.

De wisseling van de wacht vond plaats in 2008. Nadal beleefde toen werkelijk een fenomenaal jaar. Hij won voor de vierde keer op rij het French Open, waarbij hij Federer in de finale opzij blies met 6-1, 6-3, 6-0. Daarna stoomde hij door naar Wimbledon, voor een zinderende eindstrijd die de geschiedenisboekjes in is gegaan als de beste grandslamfinale aller tijden. In 2007 had de briljante Federer de winst nog nét uit het vuur kunnen slepen, maar één jaar later werd hij van zijn grastroon gestoten door het gravelwonder uit Mallorca. Het was voor het eerst sinds dertig jaar dat iemand *back-to-back* Roland Garros en Wimbledon had gewonnen; de laatste die dat was gelukt, was Björn Borg. Maar Nadal was ook bijzonder trots dat er eindelijk weer eens een Spaanse winnaar was sinds Mando Santana veertig jaar eerder de Wimbledonbeker had weten te veroveren. Rafael werd hiermee niet alleen de nieuwe nummer één van de wereld, maar hij veroverde die zomer ook nog het Olympische goud en leidde Spanje in het najaar naar de winst in de Davis Cup.

Maar ondanks zijn almaar indrukwekkender wordende palmares bleef Rafael Nadal dezelfde bescheiden en hardwerkende jongen. Op de baan is hij zeer aanwezig, energiek en masculien, maar naast de baan maakt Rafa een nederige en bijna verlegen indruk. Ik ben al jaren goed bevriend met zijn manager Carlos Costa, die ik nog ken uit de tijd dat wij beiden prof waren. Daardoor heb ik Nadal al vele malen van dichtbij mogen meemaken, en iedere keer verbaas ik me er weer over dat zo'n superster zo gewoon en vooral zo benaderbaar is gebleven.

Eén ding dat me in het bijzonder is bijgebleven, gebeurde tijdens Wimbledon in 2007. Nadal speelde een wedstrijd tegen de altijd lastige Söderling, en door de regen waren ze al een paar keer de baan op en af gegaan. Het publiek kreeg ondanks hun duurbetaalde kaartje soms een hele dag geen tennis te zien. De wedstrijd tussen Nadal en Söderling was nog maar net hervat, of het begon alweer te regenen. Terwijl iedereen naar binnen rende om dekking te zoeken, zag Rafael een paar drijfnatte kinderen langs de baan staan die om zijn handtekening vroegen. Hoewel het voor zijn lichaam natuurlijk veel beter was geweest als hij ook snel naar binnen was gegaan, stopte de Spanjaard in de stromende regen bij de kinderen en gaf hun een handtekening en een paar zweetbandjes. Dit illustreerde voor mij het soort mens dat hij is: hij voelt zich nergens te goed voor, is altijd aardig voor zijn fans en stelt absoluut geen diva-eisen. Ook op het ABN Amro WTT in Ahoy neemt hij steevast de tijd voor een praatje, bedankt iedereen keurig netjes en zet zich voor de volle honderd procent in. 'Het is belangrijk dat je mensen om je heen hebt die iets tegen je durven zeggen wanneer je je niet goed gedraagt,' zei Rafa daar zelf over. 'Normaal gesproken, wanneer je aan de top staat, zegt iedereen dat alles aan jou fantastisch is. En misschien wil je dat ook het liefste horen, maar het is beter wanneer je eraan herinnerd wordt hoe je je fatsoenlijk moet gedragen.'

Alle fatsoen ten spijt, merk ik aan de reacties van de toeschouwers van het ABN Amro WTT dat Nadal van het tennis weer rock-'n-roll heeft gemaakt. '*He is the man selling tennis,*' schreef de Britse journalist Simon Kinnersley van *The Times* in de zomer van 2009. Federer is de aristocraat die altijd met een keurig jasje de baan betreedt, maar Nadal is de straatvechter met een uiterlijk dat afkomstig lijkt te zijn uit een videogame.

Nadal heeft echter een huizenhoge bewondering voor Federer. ‘Hij traint lang niet zo veel als ik. Daar ben ik van onder de indruk. Hij heeft een bepaald gemak in zijn spel en hij leert zo snel, dat heel moeilijke dingen bij hem altijd makkelijk lijken.’ De Spanjaard heeft er nooit een geheim van gemaakt dat hij wél veel moet trainen om bij Roger in de buurt te kunnen blijven. Maar de pas 23-jarige Spanjaard is zo’n jongen die zichzelf kan opstuwen tot grote hoogten: ‘Iedere dag zoek ik mijn grenzen op. Dat betekent dat ik iedere dag vol enthousiasme ga trainen, want ik wil niet alleen denken aan winnen; ik wil mezelf bovenal verbeteren.’

De intensiteit waarmee Rafael Nadal zijn carrière te lijf gaat, heeft echter ook nadelen. In 2009 liep de Spaanse locomotief behoorlijk van de rails. En het begon nog wel zo mooi met zijn overwinning op de Australian Open, in een spannende eindstrijd tegen – wie anders? – Roger Federer. Toen de Zwitser tijdens de prijsuitreiking in huilen uitbarstte, stond Nadal er nogal bedremmeld bij te kijken. Federer is nog steeds zijn grote voorbeeld, en tijdens zijn speech probeerde hij Roger een hart onder de riem te steken door hem een groot kampioen te noemen en een van de besten uit de geschiedenis van het tennis. ‘Jij gaat die veertien titels van Pete Sampras zeker verslaan,’ voegde Nadal eraan toe. Daarbij had hij vas niet ingecalculeerd dat dit uitgerekend op ‘zijn Roland Garros zou zijn. Na een vliegende star van het jaar won hij ook drie Masters Series en bereikte hij nog twee Masters-finales: de finale van het ABN Amro WTT in Rotterdam en de finale van Barcelona. Maar toen ging opeens he licht uit. Hij kreeg peesontstekingen in beide knieën en zijn ouders gingen scheiden.

Nu is Nadal een typisch Spaanse jongen die nog steeds thuis woont en graag omgeven is door een vertrouwde groep familie en vrienden. Hij houdt van stabiliteit en regelmaat, en de scheiding van zijn ouders in combinatie me een stekende pijn aan zijn knieën maakte da hij zich niet honderd procent kon focussen. En dat heeft fatale gevolgen in het competitieve tennis van vandaag. Want daar was Söderling weer, de Zweed met het listige spelletje, en hij tikte Nadal totaal onverwacht uit het French Open. Federer rook meteen zijn kans, en schreef eindelijk Roland Garros op zijn naam Dat was overigens meer dan terecht, want na Nadal is hij nu eenmaal veruit de beste gravelspeler. Door zijn blessure kon Nadal ook zijn Wimbledon-titel niet verdedigen, iets wat hem naar eigen zeggen heel veel pijn heeft gedaan ‘Iedereen heeft weleens slechte tijden. En helaas voor mij kwamen mijn slechte tijden dit jaar. Op de belangrijkste toernooien was ik in de slechtste conditie.'

Terwijl Federer op Wimbledon werd gekroond tot de 'Greatest Of All Time' en de nummer 1-positie weer van hem overnam, ging Nadal thuis in Mallorca door een diep dal. Zijn comeback in het najaar van 2009 viel midden in het hardcourtseizoen, niet bepaald zijn favoriete ondergrond. Tijdens de US Open liep hij ook nog een scheurtje in zijn buikspieren op, waardoor hij weer even werd teruggeworpen. Maar zelfs na zo'n dramatisch jaar had Nadal tijdens het WK nog kansen om de toppositie te heroveren. Op de indoorbanen van het O2 Stadium in Londen bracht hij er echter niet veel van terecht, waardoor sommige commentatoren zich openlijk afvroegen of het soms 'voorbij' was met de onstuitbare opmars van de 'Spanish Bull'. Dat lijkt mij veel te vroeg – hij is nota bene nog steeds de nummer twee van de wereld. Eén week later veegde hij op gravel alweer met iedereen de vloer aan in de finale van de Davis Cup, en gaf zo zijn visitekaartje af voor het nieuwe seizoen. Daarin hoop ik dat hij bovenal gezond blijft, want het internationale tennis mag zich gelukkig prijzen met een speler die de zaken zó op scherp zet.

© Henk Koster

RAFAEL NADAL OVER TENNIS:

'Ik heb een bijzonder gelukkige jeugd gehad, en vandaag de dag ben ik net zo gelukkig. Dus ik weet nu dat geld niets verandert en niet méér geluk brengt. Ik speel tennis omdat ik het fantastisch vind. Het belangrijkste voor mij is trainen, proberen om steeds beter te worden en ieder aspect van mijn spel te verbeteren. Ik verwacht nooit dat het me wel zal komen aanwaaien.'

'Als je niet bereid bent om te verliezen en te accepteren dat je verslagen bent, dan moet je niet gaan tennissen.'

'Wanneer je wilt blijven groeien als atleet, moet je van niemand hulp verwachten, niet van je familie, niet van je coach, van niemand. De wil om jezelf te verbeteren en om te blijven groeien moet uit jezelf komen. Je moet zelf enthousiast blijven en zelf het geloof houden, zodat je alles blijft proberen om de beste te zijn.'

MATS WILANDER

BIJNAAM **–**

GEBOORTEDATUM **22 AUGUSTUS 1964**

GEBOORTEPLAATS **VÄXJÖ, ZWEDEN**

WOONPLAATS **HAILEY, IDAHO, VS**

LENGTE **1.82 M**

GEWICHT **77 KG**

PROFDEBUUT **1981**

GESTOPT **1991 EN 1996**

GEWONNEN GELD **$ 7.976.256**

HOOGSTE POSITIE **1**

NR 11
MATS WILANDER

GRAND SLAMS • **7** •
AUSTRALIAN OPEN • **1983** • **1984** • **1988** •
ROLAND GARROS • **1982** • **1985** • **1988** •
WIMBLEDON • **-** •
US OPEN • **1988** •
ATP-ZEGES • **26** •

Mats Wilander begon zijn imposante carrière in het jaar dat Björn Borg stopte, maar de schaduw van zijn illustere landgenoot heeft nog lang over hem heen gehangen. Mats won veel grand slams, maar Borg won er meer. Mats was de nummer één van de wereld, maar Borg was het langer. Toch zijn er ook genoeg overeenkomsten tussen beide Zweden. Zowel Borg als Wilander had een relatief korte carrière waaraan abrupt een einde kwam door motivatieproblemen. Door de iconische status van Borg zijn veel mensen vergeten dat Wilander óók een wonderkind was: hij won in 1982 op zijn zeventiende Roland Garros en is nog steeds de enige speler die vóór zijn twintigste al vier grandslamtitels wist te veroveren.

In de halve finales van het bewuste French Open werd een bal van zijn tegenstander ten onrechte uit gegeven, waardoor Wilander de wedstrijd won. Prompt stapte hij naar de umpire en zei: 'Sorry, maar zó wil ik niet winnen.' Het punt werd overgespeeld en Mats won uiteindelijk toch, maar nu met fair play.

Had hij echt zo'n sterk rechtvaardigheidsgevoel of was het meer zijn jeugdige naïviteit? Feit is dat de sympathieke Wilander vanaf dat moment werd gezien als het schoolvoorbeeld van een eerlijke, hardwerkende proftennisser. De Zweed had eigenlijk geen echte wapens maar wel een onvoorstelbaar uithoudingsvermogen; hij liet het vaak op een vijfsetter aankomen, die hij nagenoeg altijd won.

In het proftennis kunnen je resultaten behoorlijk beïnvloed worden door de weersomstandigheden, maar de onverstoorbare Mats vond eigenlijk alles prima: binnen spelen, buiten spelen, veel wind, weinig wind, koud of warm. Voor een Zweed kon hij ook opmerkelijk goed tegen de hitte. Ik heb zelf vaak in Cincinatti gespeeld en daar kon het zó warm zijn dat spelers moesten opgeven of met kramp van de baan kwamen. Maar waar andere jongens door de hoge luchtvochtigheid minimaal vijf keer van shirt moesten wisselen, deed Wilander het gewoon met één shirtje, waarop na afloop nauwelijks zweetplekken te zien waren.

Wilanders 'werktennis' in combinatie met zijn jonge piekleeftijd hebben er misschien toe bijgedragen dat hij vroegtijdig was opgebrand. In 1984, 1985 en 1987 voerde hij Zweden naar de winst in de Davis Cup. Hij won ook tweemaal de Australian Open en nogmaals Roland Garros, maar zijn absolute topjaar moest nog komen. Dat werd 1988 – het jaar waarin Wilander eerst de Australian Open won, daarna het French Open en ten slotte ook nog de US Open, na een epische vijfsetter tegen Ivan Lendl. Daarmee stootte hij Lendl van de eerste plaats van de wereldranglijst, maar erg veel plezier heeft de Zweed niet van de toppositie gehad. Ten eerste baalde hij enorm dat hij Wimbledon niet hadden weten te winnen: 'Je kunt niet beschouwd worden als een van de beste spelers als je nooit Wimbledon hebt gewonnen,' zei hij in een interview. Dat de beker in 1988 uitgerekend naar zijn landgenoot Stefan Edberg was gegaan, heeft ongetwijfeld niet geholpen. Maar de pas 24-jarige Wilander had de meeste moeite met het formuleren van nieuwe doelen.

'Mijn hele carrière had ik ervan gedroomd om nummer één te zijn,' vertelde hij jaren later. 'Maar toen ik dat eindelijk had bereikt en de aanvankelijke opwinding weer een beetje was weggeëbt, voelde ik eigenlijk niets. Geen vreugde of trots. Ik was de beste van de wereld, maar wat maakte het uit? Het werd zelfs zo erg dat ik meer voldoening haalde uit het maaien van gras dan uit het spelen van tennis.'

De eigenlijk nog jonge tennisser voelde zich zo overwerkt en moegestreden dat hij het nauwelijks kon opbrengen om het enorme puntenaantal dat hij in 1988 had verdiend te verdedigen. Na twintig weken nam Lendl de koppositie dan ook weer van hem over, waarna Wilander wegzakte in een diepe motivatiecrisis. Hij modderde maar wat aan, totdat hij in 1991 het bijltje er helemaal bij neergooide. In 1992 leek de Zweed van de aardbodem verdwenen. De dagelijkse druk om te presteren en de enorme aandacht die zijn populariteit met zich meebracht, waren hem allemaal te veel geworden.

Tot ieders verrassing dook hij in 1993 weer op met de mededeling dat hij ging proberen om een comeback te maken. Wilander was ervan overtuigd dat hij binnen no time weer zou terugkeren in de top tien, en eerlijk gezegd had ik het eigenlijk ook wel verwacht. Maar het liep heel anders. De ooit zo succesvolle tennisser heeft op de een of andere manier nooit zijn ritme hervonden. De tenniswereld had kort daarvoor de smartelijke comebackpoging van Björn Borg moeten aanzien, en ook de teloorgang van Mats Wilander werd met pijn in het hart bekeken.

Toen Wilander in 1995 ook nog samen met zijn dubbelspelpartner Karel Nováček op Roland Garros op cocaïnegebruik werd betrapt, leek de carrière van de Zweedse kampioen in mineur te eindigen. Hij vocht zijn schorsing echter aan met het verhaal dat hij de coke 'ongemerkt' binnen had gekregen, en uiteindelijk kwam Wilander er met een kortere straf vanaf. Zoals gezegd heeft Richard Gasquet datzelfde verhaal onlangs nog eens geprobeerd ('tongzoen van een cokegebruikster gekregen in een nachtclub') maar die vlieger ging toen niet meer op.

Sinds Mats gestopt is met proftennis, is zijn leven in een veel rustiger vaarwater te-

MATS WILANDER OVER TENNIS:

'De spelers van nu zijn heel erg competitief. Ze zijn fysiek veel sterker dan wij waren en ze hebben meer power in hun rackets. Maar dat betekent ook dat ze minder hoeven nadenken dan wij deden. Ze hebben minder kans om hun spel te veranderen als ze slecht staan te spelen. Want weet je, bij ons ging het nooit over goed spelen, het ging over *slim* spelen.'

'Als je een topspeler bent, dan denk je dat niets en niemand anders ertoe doet. Je kunt tegen iedereen op de wereld zeggen: luister eens even, ik speel tennis, ik heb geen tijd voor jou. Ik sta in de halve finale van de US Open, dus rot op met alles en iedereen.'

'Een stevige slagenwisseling vanaf de baseline, soms wel vijftien keer heen en weer, dát sterkt je karakter. Maar één service en niet eens een volley – dat doet niks voor je karakter.'

rechtgekomen. Hij trouwde met een Zuid-Afrikaans model en ging in Amerika wonen, waar hij vier kinderen kreeg. Hij werd ook captain van het Zweedse Davis Cup-team, en coachte Marat Safin, Tatiana Golovin en Paul-Henri Mathieu. Ik ontmoet de bescheiden Zweed nog regelmatig op de Senior's Tour, en zijn populariteit is onverminderd groot. In zijn jonge jaren had Wilander het uiterlijk van een *male model*, maar ook nu trekt hij nog steeds hordes vrouwelijke fans. Wilander is ook commentator voor Eurosport, en tijdens de grand slams treedt hij geregeld aan als analist.

In die functie heeft hij in 2006 een lelijke uitglijder gemaakt over Roger Federer, nadat deze nogal dik van Rafael Nadal had verloren in de finale van Roland Garros. 'Federer is niet de beste ooit – voorlopig nog lang niet, in ieder geval,' zei hij tegen een Australische krant. 'Zet hem maar eens tegenover vechtjassen als Jimmy Connors; ik weet niet of hij die verslagen had. Dat heeft twee redenen. Topsport gaat over *balls* en over *heart*. Federer zal best ballen hebben, maar tegen Nadal krimpen ze tot een heel klein formaat. En niet één keer, maar iedere keer.' Voor die ongezouten mening heeft hij in een Eurosport-interview met Federer heel snel zijn excuses moeten aanbieden. Daarmee kon hij echter niet voorkomen dat er onder tennisfans een nieuw begrip was ontstaan: *Wilanders*, als synoniem voor vechtlust en ballen.

Nu Mats het stokje van Davis Cup-captain aan Thomas Enqvist heeft overgedragen, heeft hij des te meer tijd voor zijn eigen stichting, die geld inzamelt voor kinderen met de huidziekte *epidermolysis bullosa*. Wilanders zoon Erik lijdt namelijk aan een (relatief) milde vorm van deze zeldzame ziekte, die bij de geringste aanraking leidt tot brandwondachtige blaren. Erik kan nog een enigszins normaal leven leiden, al moet hij iedere avond al zijn blaren voorzichtig wegknippen en zijn wonden goed verzorgen. Maar de meeste kinderen die aan deze huidziekte lijden, worden niet oud. Met zijn jaarlijkse Mats Wilander Celebrity Tennis and Golf Classic probeert de voormalige nummer één geld in te zamelen voor meer onderzoek naar deze pijnlijke en ongeneeslijke ziekte. Ook steunt hij ouders van deze kinderen met geld voor speciale pleisters en bandages, omdat de Amerikaanse zorgverzekeringen deze benodigdheden vreemd genoeg niet vergoeden. Het moge duidelijk zijn: na al die jaren heeft de Zweedse fair play-kampioen het hart nog steeds op de juiste plaats.

SergioTacchini
SergioTacchini

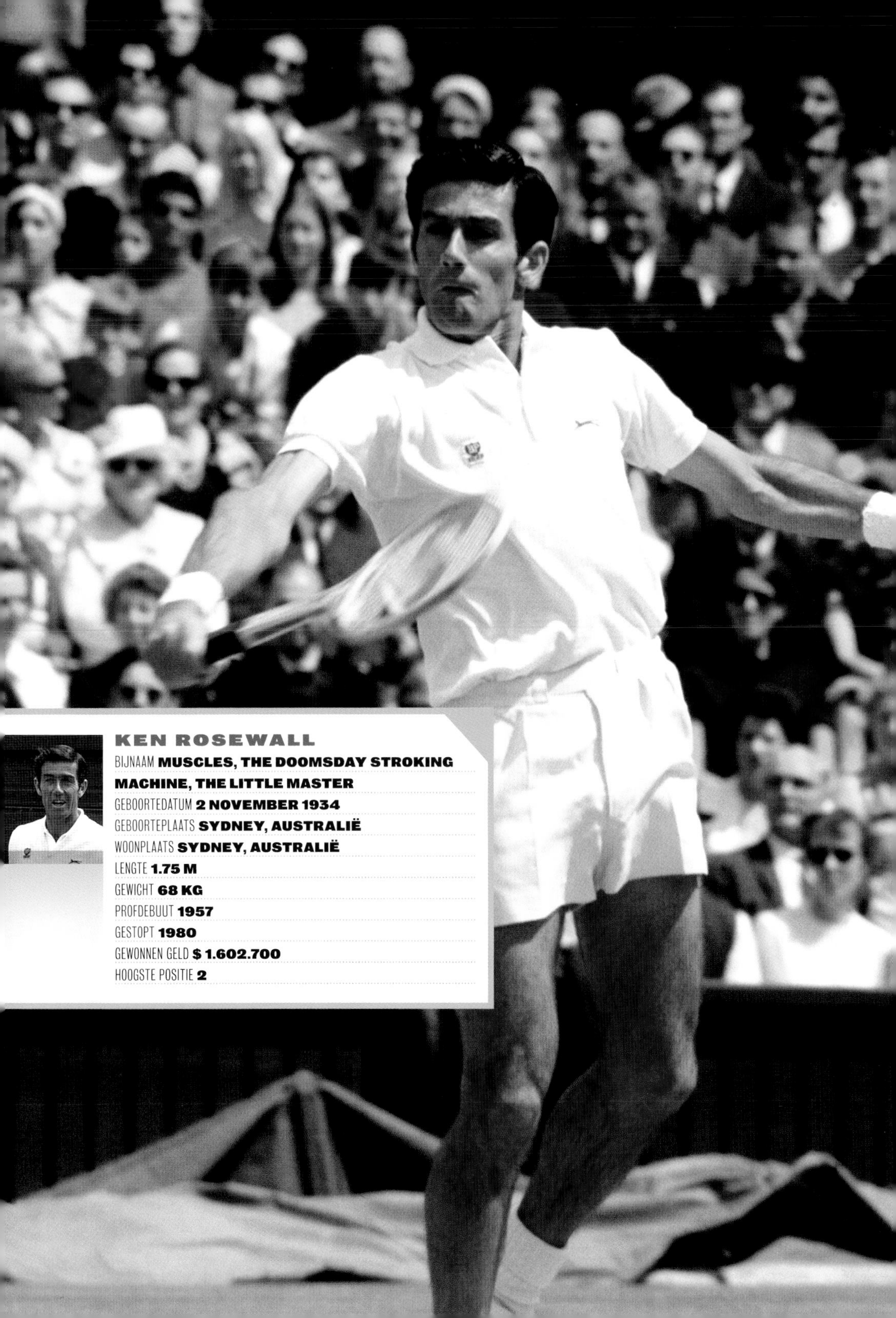

KEN ROSEWALL

BIJNAAM **MUSCLES, THE DOOMSDAY STROKING MACHINE, THE LITTLE MASTER**
GEBOORTEDATUM **2 NOVEMBER 1934**
GEBOORTEPLAATS **SYDNEY, AUSTRALIË**
WOONPLAATS **SYDNEY, AUSTRALIË**
LENGTE **1.75 M**
GEWICHT **68 KG**
PROFDEBUUT **1957**
GESTOPT **1980**
GEWONNEN GELD **$ 1.602.700**
HOOGSTE POSITIE **2**

NR 12
KEN ROSEWALL

GRAND SLAMS ● **8** ●
AUSTRALIAN OPEN ● **1953** ● **1955** ● **1971** ● **1972** ●
ROLAND GARROS ● **1953** ● **1968** ●
WIMBLEDON ● **-** ●
US OPEN ● **1956** ● **1970** ●
ATP-ZEGES ● **124** ●

Het is opvallend hoeveel iconen uit de tennisgeschiedenis uit Australië afkomstig zijn. De *Aussies* gaven elkaar steevast spottende bijnamen, zoals 'The Rocket' voor Rod Laver, omdat die in zijn jeugd niet vooruit te branden was, en 'Muscles' voor Ken Rosewall, als kleinste en dunste van zijn generatie. Ken Rosewall was precies even oud als een ander Australisch tennistalent, Lew Hoad, maar Lew was veel groter en sterker. Vanaf het moment dat de twee jongens samen op de baan werden gezet, waren zij niet alleen een onverslaanbaar tennisduo maar ook elkaars grootste concurrenten. Andere rivalen van Rosewall waren Rod Laver en Pancho Gonzalez, maar uiteindelijk heeft hij ze allemaal 'overleefd'.

Zelden heeft een tennisser zo'n lange carrière gehad als Ken Rosewall. De kleine, tengere zoon van een groenteboer uit Sydney was eigenlijk linkshandig, maar zijn vader had hem geleerd om met rechts te spelen. Door deze dubbelhandigheid ontwikkelde Ken een fantastische backhand, die hij combineerde met zeer goed geplaatste volleys. Rosewall had dan misschien geen indrukwekkend fysiek, maar daar stond tegenover dat hij zeer snel en wendbaar was, en zijn hele carrière nooit geblesseerd is geraakt. Ik begrijp niet hoe dat mogelijk is, want Rosewalls loopbaan besloeg bijna 25 jaar. In 1953, op zijn achttiende, won hij eerst de Australian Open en daarna Roland Garros. Samen met Lew Hoad harkte hij ook bijna alle dubbeltitels bij elkaar: ze wonnen in dat jaar samen de Australian Open, Roland Garros en Wimbledon, maar verloren in de kwartfinale van de US Open. Hoewel de jongens samen grote successen beleefden in de dubbel, zaten ze in de single voortdurend in elkaars vaarwater.

Vooral in 1956 zette Lew Hoad Ken Rosewall de voet dwars. Hij versloeg Ken in de finale van de Australian Open en nogmaals in de finale van Wimbledon. Omdat Hoad in de tussentijd ook het French Open had gewonnen, had hij de unieke kans om op de US Open zijn grand slam te behalen: het winnen van de vier verschillende titels in één jaar. Maar uitgerekend daar wist Ken Rosewall hem in de finale te verslaan, waarmee Lews kans op eeuwige roem was verkeken. Samen zouden ze in 1956 nog de Davis Cup winnen voor Australië, waarna Rosewall en Hoad besloten om over te stappen naar profcircuit. Daar was ene Pancho Gonzalez namelijk heer en meester, en de twee Australiërs wilden graag met hem de strijd aangaan.

Maar hoewel Lew Hoad een enorm talent bezat, worstelde hij vaak met zijn motivatie. Hij stond niet altijd 'aan' en had geregeld dagen waarop het hem allemaal niks kon schelen. Dit gold overigens ook voor de al even getalenteerde Ellsworth Vines, die zijn rackets aan de wilgen hing voor een nieuwe loopbaan als golfer. Hoad was in die tijd de enige speler die het de onverzettelijke Gonzalez echt moeilijk kon maken, maar zijn wisse lende enthousiasme in combinatie met steeds grotere rugproblemen heeft ervoor gezorgd dat de profcarrière van Lew Hoad voortijdig werd beëindigd. Ken Rosewall bleek echter een menselijke versie van het Duracell-konijn: hij ging maar door.

Rod Laver, die toen al werd gezien als misschien wel de beste speler ooit, had geregeld zijn handen vol aan zijn oudere landgenoot. 'Alsof je tegen een stenen muur staat te spelen,' heeft hij weleens geklaagd. Rosewall heeft hem diverse pijnlijke nederlagen bezorgd, zoals in 1971 en 1972, toen hij tot ieders verrassing Rod wist te verslaan in de finale van het WK in Dallas. Zelfs toen Rod Laver al gestopt was, speelde Ken nog verder. Vanaf zijn 33ste veroverde hij in het 'open tijdperk' nog 32 titels in de single. In 1972 pakte hij op 38-jarige leeftijd voor de vierde keer de titel op de Australian Open. Zijn laatste toernooi won hij op zijn 43ste in Hong Kong. 'Ik had nooit verwacht dat ik zó lang zou blijven spelen toen ik in 1957 professional werd,' zei hij daar zelf over. 'Maar ik vind het leuk en ik ben er nog steeds goed in.'

:osewall bivakkeerde meer dan een decen-
ium in de top tien en in 1977 stond hij nog
teeds twaalfde op de wereldranglijst. Maar
iefst 24 jaar nadat hij voor het eerst de Au-
tralian Open won, sloeg hij zich nogmaals
aar de halve finales. Het enige grand slam
at Rosewall nooit heeft weten te winnen,
s Wimbledon – al won hij enkele malen de
ubbeltitel en bereikte hij vier keer de sin-
lesfinale. Tussen zijn eerste verloren Wim-
ledon-finale (in 1954 tegen Drobny) en zijn
aatste (in 1974 tegen Connors) ligt maar
iefst twintig jaar. Ik geloof niet dat iemand
em dit ooit zal nadoen.

KEN ROSEWALL OVER TENNIS:

'Als ik één aspect zou moeten noemen dat het grootste struikelblok is voor spelers van ieder niveau, dan zeg ik: concentratie. Het maakt niet uit hoe sterk je slagen zijn, hoe snel je bent of hoe goed je reflexen zijn. Alles is verloren als je hersenen niet iedere beweging controleren.'

PETE SAMPRAS OVER KEN ROSEWALL EN ROD LAVER:

'Ik heb deze mannen nog nooit slechte dingen horen zeggen over de spelers van vandaag. En dat is zoals ik later hoop te zijn. Voor mij is dat het hoogst haalbare. Ze weten dat ze geweldige tennissers waren, zonder daar steeds op te hoeven hameren.'

SCHRIJVER MARTIN AMIS IN THE NEW YORKER IN 1994:

'Er is tegenwoordig veel vraag naar "persoonlijkheden", want dat is typisch voor de tijd waarin wij leven. Laver, Rosewall, Ashe, dat waren dynamische en voorbeeldige figuren; zij hadden geen "persoonlijkheid" nodig. Zij hadden namelijk karakter.'

STEFAN EDBERG

BIJNAAM **THE GENTLEMAN CHAMPION, THE ELEGANT ASSASSIN**

GEBOORTEDATUM **19 JANUARI 1966**

GEBOORTEPLAATS **VÄSTERVIK, ZWEDEN**

WOONPLAATS **VÄXJÖ, ZWEDEN**

LENGTE **1,87 M**

GEWICHT **77 KG**

PROFDEBUUT **1983**

GESTOPT **1996**

GEWONNEN GELD **$ 20.630.941**

HOOGSTE POSITIE **1**

NR 13
STEFAN EDBERG
EDBERG - KRAJICEK: 3-4

GRAND SLAMS • **6** •
AUSTRALIAN OPEN • **1985** • **1987** •
ROLAND GARROS • **-** •
WIMBLEDON • **1988** • **1990** •
US OPEN • **1991** • **1992** •
ATP-ZEGES • **42** •

'eel mensen kennen het verhaal van de zeentienjarige Michael Chang, die het presзerde om op het French Open van 1989 onerhands te serveren tegen Ivan Lendl. De nders zo onverstoorbare Tsjech raakte zó an slag over deze brutaliteit dat hij prompt ijn concentratie verloor en daardoor al in e vierde ronde werd uitgeschakeld. In de finale trof Michael Chang dat jaar de sublieme ervice-volley-speler Stefan Edberg, die voor et eerst (en voor het laatst) de laatste ronde an Roland Garros had gehaald. Edberg won a een wat stroeve start de tweede en derde et en leek af te stevenen op de overwinning, naar uiteindelijk was het de kleine Amerianan die na vijf uitputtende sets de titel ververde.

Jaren na zijn carrière noemt Edberg dit nog altijd de meest pijnlijke herinnering uit zijn loopbaan. De succesvolle Zweed zou anders namelijk alle grand slams hebben gewonnen. En hoewel hij zich daarmee in het goede gezelschap van Sampras, Connors, Becker en Newcombe begeeft, doet het hem nog steeds verdriet. Ik weet precies wat hij bedoelt. In mijn profcarrière heb ik honderden wedstrijden gespeeld, waarvan ik er heel veel heb gewonnen. Maar er zitten ook een paar verliespartijen tussen die mij jaren later nog steeds ergeren. Een daarvan is een wedstrijd tegen Stefan Edberg. Stefan en ik speelden allebei service-volley, en onze partijen draaiden altijd uit op spannende wedstrijden met veel beweging en dynamiek. Hij was de eerste nummer één die ik versloeg in mijn carrière.

In 1993 verdedigde Stefan zijn titel op de US Open. In de vierde ronde kwamen wij elkaar tegen op de baan van Louis Armstrong, het oude *stadium court*. Zoals altijd ging de wedstrijd gelijk op en na vier uur strijd te hebben geleverd, belandden we in de vijfde set. Er vielen breakpoints over en weer, maar op 4-4 kwam ik 15-40 op zijn service. Ik loerde op mijn kans, en toen hij op 30-40 een tweede service moest slaan, besloot ik vol voor de winst te gaan. Ik liep om mijn backhand heen en sloeg een beuk van een forehand langs de lijn. Ik wist zeker dat hij in was, anderen zeiden dat hij op de lijn was, maar tot mijn verbijstering gaf de *linesman* mijn bal uit. Even was ik helemaal van de kaart. Wat had ik in die tijd graag HawkEye gehad; zeker nu ik al diverse malen heb gezien dat zelfs een bal die met drie haren op de lijn komt, nog steeds in wordt gegeven. In plaats van 5-4 en serveren voor de wedstrijd werd het nu 5-4 voor Stefan. Met een rommelige game leverde ik mijn opslag in en na ruim vierenhalf uur knokken zat ik gedesillusioneerd in de kleedkamer. Het leek misschien 'maar' een vierde ronde, maar de kwartfinale was tegen Lendl en in de halve finale stond Chang op het programma – twee spelers van wie ik al vaak had gewonnen. Tot overmaat van ramp kampte Pete Sampras (die ik ook geregeld had verslagen in de finale met een voedselvergiftiging. A met al voelde het lange tijd als een gemist kans, vooral omdat ik mij door een slecht *call* zo van de wijs heb laten brengen.

Uiteindelijk had ik aan het einde van mijn car rière een positief saldo tegen Stefan Edberg maar dat had ik graag willen ruilen tege de winst op die ene dag. Edberg werd som de *Elegant Assassin* genoemd: de elegant sluipmoordenaar, en ik denk dat dat een pri ma benaming voor hem is. De rustige Zwee bleef altijd bescheiden, rustig en zachtaardig maar op de baan kon je je behoorlijk in d luren laten leggen door zijn keurige manie van doen. Want hij vocht voor ieder punt, ga nooit op en wist bijna altijd een achterstan om te buigen in een overwinning.

Stefan Edberg is voor mij de meest graci euze service-volley-speler van de laatste der tig jaar. En aangezien nagenoeg iedereen te genwoordig van de baseline staat te beuken zal hij die titel voorlopig nog wel even hou den. Stefan, zoon van een Zweedse politie man, werd als kind gescout door Percy Ros berg, de trainer die ook Björn Borg had ont dekt. Rosberg stond bekend om zijn perfect technische coaching, en hoewel Stefan bijn

:ijn hele carrière door de Britse Tony Pickard s begeleid, heeft hij ook altijd aangegeven 'eel te danken te hebben gehad aan de onder- ;rond die hij van Rosberg had gekregen. Dat le kleine Stefan veel talent had, werd al snel luidelijk. Hij is nog steeds de enige tiener die net heeft gepresteerd om alle vier de junioren ;rand slams in één jaar te winnen. Overigens aakte hij tijdens de finale van de US Open 'oor junioren in 1983 per ongeluk een lijn- 'echter in het kruis, die hierop achteroverviel :n een schedelbreuk opliep. De arme man overleed enige dagen later, tot ontzetting van le jonge Zweed.

n 1984 werd Edberg prof, en dat jaar won hij neteen zijn eerste toernooi. Daarna kon het :chte werk beginnen. In januari van 1985 ver- loeg hij zijn landgenoot Mats Wilander in de inale van de Australian Open, en vanaf dat mo- nent was zijn carrière *on a roll*. Edberg vloekte 1ooit, gooide niet met zijn rackets en deed niet an trash talking – een hele verademing in de 1adagen van Connors en McEnroe. Hij won naar liefst vijf keer de ATP Sportsmanship Award 'oor sportief gedrag op de baan, meer dan wel- :e andere speler ook. Toen hij 1996 met pensi-)en ging, veranderde de ATP de naam van deze rofee zelfs in de Edberg Sportsmanship Award. Zijn beschaafde en niet-agressieve manier van doen heeft zijn sportieve successen bepaald niet in de weg gestaan. In 1990 loste hij Ivan Lendl af als de nummer één van de wereld; een positie die hij maar liefst 72 weken zou innemen. Uiteindelijk zou de Zweed 41 toernooien winnen, waaronder 6 grandslamtitels. Edberg was ook zeer succesvol in de dubbel. Er zijn maar twee spelers geweest die zowel in de single als in de dubbel de eerste plaats van de wereldranglijst hebben bereikt, en dat zijn Stefan Edberg en John McEnroe.

Zijn grootste concurrent was Boris Becker. De beide heren speelden allebei servicevolley, maar daar hield de gelijkenis verder ook mee op. De snoekduikende Becker was een publieksspeler pur sang, terwijl de bescheiden Edberg eerder ongemakkelijk werd onder al die aandacht. Vooral in hun Wimbledon-finales hebben deze twee tegenpolen ongelooflijke wedstrijden uitgevochten, waarbij Edberg in 1988 won, Becker in 1989 en Edberg weer in 1990 aan het langste eind trok. 'Ik denk dat de rivaliteit met Boris voor ons allebei goed is geweest, want dit is het soort wedijver waar tennis van leeft,' zei Edberg later. 'We knokten ons door Wimbledon, vochten geregeld om de nummer 1-positie en hielden elkaars resultaten nauwlettend in de gaten. Connors en Borg hadden dat ook, en McEnroe en Lendl. Ik had het met Boris.'

Over Edberg is vaak geschreven dat hij zo saai was en geen enkele persoonlijkheid bezat. Daar ben ik het totaal niet mee eens, al hielp het natuurlijk niet dat hij ooit op de vraag: '*Do you have personality*?' antwoordde met: '*A little one.*' Ik denk dat de 'saaie' spelers het achteraf gezien helemaal nog niet zo gek hebben gedaan. De flamboyante Agassi bleek zijn hele carrière doodongelukkig te zijn geweest en de extraverte Becker heeft een potje gemaakt van zijn tumultueuze privéleven. Die valkuilen heeft Edberg allemaal vermeden. In 1990 gaf hij al blijk van een gezonde dosis nuchterheid: 'Ik denk dat gewone mensen veel gelukkiger zijn dan de zogenaamde jetset en al die celebrity's,' zei hij in een interview. 'Mijn ouders, die ik respecteer als mijn grootste vrienden, hebben mij al vroeg geleerd dat het geluk meestal in bescheiden dingen zit. Het heeft niets te maken met geld of roem.'

In 1996, toen Stefan bezig was aan zijn af-
scheidsjaar, lootten wij in de eerste ronde va
de US Open tegen elkaar. In onze onderling
ontmoetingen stond de teller inmiddels o
4-2 voor mij, maar ik was nog helemaal hig
van mijn recente winst op Wimbledon en lie
me door de oude meester in de luren leggen
New York en Stefan Edberg – het was voo
mij geen gelukkige combinatie. Aan het eind
van dat jaar wilde Stefan zijn carrière moo
afsluiten met een laatste optreden tijdens d
Davis Cup-finale in Zweden tegen Frankrijk
Helaas moest hij daar met een enkelblessur
opgeven en verloor Zweden met 3-2. Ik ha
de stilist een stijlvoller einde gegund, maa
Edberg kan terugkijken op een fantastisch
loopbaan.

Na lange tijd in Londen gebivakkeerd t
hebben, woont hij nu alweer enkele jaren me
zijn gezin in Zweden. Hij handelt in aande-
len en onroerend goed, en is een fanatiek
squashspeler geworden. Ook speelt hij af e
toe wat toernooien op de Senior's tour, maa
helemaal van harte gaat dat niet: 'Ik genie
er nog steeds van om te tennissen en ik spee
twee keer per week,' zei hij onlangs tijden
het Tour of Champions-toernooi in Heil-
bronn. 'Maar ik vind het vooral heerlijk om t
trainen als er niemand kijkt.'

PANCHO GONZALEZ

BIJNAAM **PANCHO, GORGO**

GEBOORTEDATUM **9 MEI 1928**

OVERLEDEN **3 JULI 1995**

GEBOORTEPLAATS **LOS ANGELES, CALIFORNIË, VS**

LENGTE **1.91 M**

GEWICHT **90 KG**

PROFDEBUUT **1946**

GESTOPT **1973**

GEWONNEN GELD **$ 911.078**

HOOGSTE POSITIE **1**

NR 14
RICARDO ALONSO 'PANCHO' GONZALEZ

- GRAND SLAMS **2**
- AUSTRALIAN OPEN -
- ROLAND GARROS -
- WIMBLEDON -
- US OPEN **1948** **1949**
- ATP-ZEGES -

Ricardo Alonso 'Pancho' Gonzalez was niet zomaar een succesvolle tennisser; hij was echt een verhaal apart. Zo stond hij maar liefst 24 jaar in de mondiale top tien, een onwaarschijnlijke prestatie. Drie maanden voor zijn 44ste verjaardag won de heetgebakerde Gonzalez het toernooi van Des Moines en werd daarmee de oudste speler die een ATP-titel op zijn naam wist te schrijven. Maar ook in de jaren daarna was hij niet kapot te krijgen, want Pancho ging in 1973 gewoon door op de Senior's Tour en won daar ook nog vele partijen.

Ik had Pancho Gonzalez graag eens in zijn gloriedagen willen zien spelen. Hij schijnt iemand te zijn geweest die werkelijk álles deed om te kunnen winnen. Het publiek zag de straatvechter graag tot het uiterste gaan, maar de meesten van zijn collega's – onder wie de beschaafde Rod Laver – vonden hem verschrikkelijk. Toen Pancho begon, was tennis nog echt een *gentleman's game*. De kleine Amerikaan van Mexicaanse afkomst was echter verre van een gentleman: hij groeide op in de armoedige *barrios* van Los Angeles, en woonde met zijn ouders en zes broertjes en zusjes in een tweekamerappartementje.

De moeder van Pancho kwam oorspronkelijk uit een rijke Mexicaanse familie, maar tijdens de Mexicaanse Revolutie van 1910 waren zij al hun bezittingen kwijtgeraakt. Omdat zijn moeder in haar jonge jaren graag had getennist en die herinnering aan haar oude leven koesterde, bracht zij haar kinderen in aanraking met de tennissport. De kleine Pancho bleek niet alleen een enorm talent te hebben, maar koppelde dat ook nog aan de vechtersmentaliteit van een pitbull. Pancho's tennisracket was een grote uitgave voor de armlastige familie, en hij koesterde het slaghout als een juweel. Hij praatte liefkozend tegen zijn racket, stond ermee op en ging ermee naar bed. Het duurde niet lang of de jonge Gonzalez veegde iedereen van de baan met zijn agressieve stijl. Na zijn eerste successen stopte hij onmiddellijk met school en ging hele dagen trainen. Pancho was dol op trainen. Voor hem was het heel simpel: 'Hoe leuker je het vindt, hoe meer je traint. Hoe meer je traint, hoe meer je vooruitgaat. Hoe meer je vooruitgaat, hoe leuker je het vindt.' Hij was een van de eersten met een snoeiharde service, maar beschikte ook over een fantastische lobtechniek en een fenomenale service-return. In zijn biografie *Man with a Racket* schreef hij later dat er maar één manier is om een kampioen te worden: 'Offer alles op. Verruil de leuke dingen van het leven voor je training.'

Door zijn onbehouwen karakter en ongepolijste manieren kreeg hij niet veel aansluiting bij de rest van de toppers: 'Op cocktailparty's voel ik me als een olijf die per ongeluk in de bourbon is gevallen, oftewel: niet op mijn plaats.' Ook met de dames wilde het niet echt lukken; ondanks zijn zes huwelijken bleef Gonzalez zijn hele leven met zijn racket getrouwd. In het tenniscircuit had hij één goede vriend, collega-topper Pancho Segura. Die heeft zich ooit uitgesproken over het turbulente liefdesleven van Gonzalez: 'Het aardigste wat *Gorgo* tegen zijn echtgenotes zei, was "*shut up*".' Maar Segura vond ook dat Pancho te zeer werd afgerekend op zijn McEnroe-achtige streken: 'Natuurlijk was hij geen heilige op de baan. Maar ja, heb je wel eens een heilige met een tennisracket gezien?' Hoe ouder hij werd, hoe meer waardering er kwam voor Pancho Gonzalez. Voor Jimmy Connors – die zelf natuurlijk ook bepaald geen lieverdje was – werd Gonzalez zelfs de tennisser die hij het meest bewonderde: '*He was a bad son of a bitch*. Hij zou alles doen, zes uur op zijn poten blijven staan, alles om die wedstrijd maar te winnen.'

Ik vraag me af waarom Pancho eigenlijk zo'n klootzak was. Had hij door zijn armoedige jeugd een bepaalde bewijsdrang of juist een minderwaardigheidscomplex dat hij moest overwinnen? Wilde hij nooit meer zonder geld zitten? Of was hij gewoon een van de meest gemotiveerde sporters aller tijden? De Amerikanen denken het laatste. *Sports Illustrated* schreef in 1999: 'Als er ooit een tenniswedstrijd zou komen waarbij de aarde op het spel zou staan, dan zou er maar één man zijn die voor ons zou moeten spelen: Ricardo Alonso "Pancho" Gonzalez.' Zelfs Rod Laver, een van Pancho's grootste tegenstanders, werd later iets milder. In zijn biografie schreef hij dat hij meer waardering had gekregen voor de licht ontvlambare Gonzalez: 'Hij blijkt een diepte te hebben die ik niet eerder heb gezien en hij is vrijgevig en royaal bij het adviseren van jonge spelers. Maar op de baan is hij nog steeds Pancho de Eikel.' Na zijn imposante carrière werd Gonzalez tenniscoach, en zijn laatste vrouw was Rita Agassi, de zus van toptennisser Andre. Rita was zelf ook een goede tennisser, dus wie weet wat we in de toekomst nog gaan horen van hun zoon Skylar.

PANCHO GONZALEZ OVER TENNIS:

'Je hebt allerlei soorten mensen nodig in het tennis. Zoals Connors en McEnroe, spelers die mensen of geweldig vinden of vreselijk. Zo'n Borg is best saai. Leuk voor hem dat-ie zich kan inhouden en op zijn privacy is gesteld. Maar tennis is nog steeds een show, en dat moet je je realiseren.'

'Tennis is de zwaarste sport van allemaal. Zelfs in het profbasketbal spelen ze niet iedere avond. En trouwens: als ze moe zijn, worden ze gewisseld. Wij niet. Wij spelen gewoon door als we pijn hebben. Ik heb al met een zware enkelblessure gespeeld. En Lew Hoad heeft een keer een wedstrijd uitgespeeld nadat hij tegen een muur was gerend en bewusteloos was geraakt.'

BORIS BECKER

BIJNAAM **BOOM BOOM BECKER**
GEBOORTEDATUM **22 NOVEMBER 1967**
GEBOORTEPLAATS **LEIMEN, DUITSLAND**
WOONPLAATS **MONTE CARLO, MONACO**
LENGTE **1.90 M**
GEWICHT **85 KG**
PROFDEBUUT **1984**
GESTOPT **1999**
GEWONNEN GELD **$ 25.080.956**
HOOGSTE POSITIE **1**

NR 15
BORIS BECKER
BECKER - KRAJICEK: 4-4

- GRAND SLAMS ● - ●
- AUSTRALIAN OPEN ● **1991** ● **1996** ●
- ROLAND GARROS ● - ●
- WIMBLEDON ● **1985** ● **1986** ● **1989** ●
- US OPEN ● **1989** ●
- ATP-ZEGES ● **49** ●

Tijdens mijn profcarrière waren er maar weinig wedstrijden waar ik méér naar uitkeek dan tennissen tegen Boris Becker in Duitsland. '*Der Boris*' was daar niet zomaar een fenomeen of een superster – hij was een halfgod. Als Becker op enig moment in zijn tennisloopbaan had gezegd: 'Joh, ik stop ermee want ik zou best bondskanselier willen worden,' dan hadden de Duitsers gezegd: 'Gráág!' In hun optiek kón Boris gewoonweg niet verliezen, dus het gaf me echt een kick om zo'n heel stadion vol uitzinnige fans stil te krijgen.

Onze speltypes waren behoorlijk aan elkaar gewaagd (getuige ook onze 'eindstand' van 4-4), maar onze karakters hadden niet verder uit elkaar kunnen liggen. Zoals bij alle grote tennissterren bleek Beckers talent reeds op jonge leeftijd. In 1983 stond hij op vijftienjarige leeftijd in de finale van de prestigieuze Orange Bowl; het officieuze WK voor junioren. Ik was dat jaar ook in Florida en ik herinner me de opwinding over het extraverte, roodharige Duitse talent. Ik ben dan ook speciaal naar zijn finale tegen Bruno Oresar gaan kijken en hoewel Boris die wedstrijd verloor, was ik onder de indruk van zijn uitstraling. Hij speelde een heel ander soort tennis dan de meeste junioren. Boris had op jonge leeftijd al een echte *stage presence*; hij zag de tennisbaan vooral als een toneel om op te schitteren.

In 1985 werd hij wereldkampioen bij de junioren, waarna hij als zeventienjarige de overstap maakte naar het proftennis. Daar won Becker meteen het grastoernooi van Queens, hét voorbereidingstoernooi voor Wimbledon. Dat was al uitzonderlijk, maar het grootste wonder moest nog komen. Twee weken later zorgde hij voor een historische sensatie door als jongste speler ooit Wimbledon te winnen, in een finale tegen de Amerikaanse toptienspeler Kevin Curren. 'Boom Boom Becker' was geboren.

Terwijl Boris die eerste Wimbledon-finale stond te spelen, was ik met mijn vader op de terugreis van een of ander jeugdtoernooi. Ik kon bijna niet geloven dat een jongen die maar vier jaar ouder was dan ik Wimbledon stond te winnen. Het was voor mij een sprookje dat ik móést zien, dus om de zo veel kilometer stopten wij op een parkeerplaats. Ik lag vaak overhoop met mijn gedreven vader, maar die dag heb ik ontzettend met hem gelachen. In de caravan probeerde hij namelijk beeld te krijgen op onze gammele televisie. Het ene moment lag hij met de roestige antenne op de grond, dan stak hij 'm weer zo ver mogelijk uit het raam – alles opdat ik kon kijken. Uitgerekend op matchpoint ging het kreng op grijs, maar na de nodige antenne-acrobatiek kon ik toch nog het winnende punt zien. Na afloop reden we helemaal opgewonden naar huis. Wimbledon was ook míjn favoriete toernooi en ik probeerde me voor te stellen hoe het zou voelen om daar met de beker op het Centre Court te staan.

Eén jaar later stond Boris er weer. 'Mij tweede titel op Wimbledon was de belang rijkste van alle titels,' zou hij later zeggen 'Toen viel er een enorme druk van me af. Deze opmerking was een zeldzaam momen van kwetsbaarheid, want tijdens zijn carrièr cultiveerde Boris doorgaans liever zijn on overwinnelijke imago. Maar misschien wo hij wel zo veel omdat hij doodsbang was o te verliezen.

Boris had zijn hele loopbaan last van ee eigenaardige droge hoest. Dit zenuwkuchj maakte de licht ontvlambare John McEnro helemaal gek. In een van zijn wedstrijden te gen Boris kon hij het dan ook niet laten o het kuchje tot vervelens toe te imiteren. Bori had ook nog een andere vreemde gewoonte waardoor door de rest van ons spelers 'Th Fish' werd genoemd. Op de baan stond hi vaak als een vis op het droge naar adem t happen; waarschijnlijk was ook dat een ze nuwtrekje, om zijn gespannen kaken los t maken.

Pas ná zijn indrukwekkende carrière durf de Becker ervoor uit te komen hoe gespanne hij al die jaren was geweest. Ik heb zelde tegen iemand gespeeld die zó bleef vechten voor Becker leek iedere wedstrijd een zaa van leven of dood. Ik had echter nooit gedacht dat dit ook letterlijk zo bleek te zijn. Als ik verloor, dan wilde het liefste doodgaan,' bekende hij later. 'Ik dacht: als ik win, dan ben ik iemand. En als ik verlies, dan ben ik niemand.'

In 1987, bij zijn derde deelname aan Wimbledon, werd hij in de tweede ronde roemloos uitgeschakeld door de onbekende Australiër Peter Doohan. De week ervóór had Becker nog Queens gewonnen, waarbij hij diezelfde Doohan in de eerste ronde van de baan had geveegd. Nu heeft iedereen weleens een *bad day at the office*, maar Boris kon hier totaal niet mee omgaan. De nacht na zijn verlies had hij zelfs overwogen om zichzelf van kant te maken, maar hij besloot toch maar door te gaan: 'Als ik er niet meer van droom de allerbeste te zijn, dan sterf ik als tennisser en misschien ook wel als mens.'

In zijn autobiografie *The Player* bekende hij nog veel meer: een verslaving aan kalmeringspillen en slaaptabletten, weggespoeld met grote hoeveelheden whiskey en bier. Net als met het cokegebruik van McEnroe en de crystal-methverslaving van Agassi heb ik me hier écht over verwonderd. Boris leek altijd zo onaantastbaar, zo zelfverzekerd en zo blij met zichzelf. Zijn bravoure, in combinatie met zijn waanzinnige talent, hebben hem zó ver gebracht dat ik die intense onzekerheid nooit achter hem had gezocht. Becker won in zijn indrukwekkende carrière maar liefst 45 toernooien, waaronder één keer de US Open, twee keer de Australian Open en drie keer Wimbledon. Hij was ook een legendarische Davis Cup-held, die bij zijn eerste deelname als zeventienjarig broekie meteen maar even de toppers Mats Wilander en Stefan Edberg versloeg. Tussen 1985 en 1991 verloor hij slechts één single in de landenwedstrijd, iets wat hem in Duitsland nog populairder maakte dan hij al was. Becker was dol op volgepakte stadions en hoe meer mensen: 'Boris! Boris!' riepen, hoe beter hij ging spelen. Hij introduceerde zijn fameuze snoekduik en vocht met veel expressie voor ieder punt.

Beroemd is zijn Davis Cup-partij in 1987 tegen John McEnroe in het Amerikaanse Hartford. De pot duurde maar liefst zes uur en 29 minuten en eindigde met 4-6, 15-13, 8-10, 6-2, 6-2 in het voordeel van Becker. Wanneer ik John en Boris vandaag de dag gebroederlijk in de commentaarbox van Wimbledon zie zitten, moet ik altijd even glimlachen. Ze hebben elkaar nu helemaal gevonden in het legende-zijn, maar destijds waren de jonge Duitser en de oude meester bepaald geen vrienden. Er is tenslotte slechts plaats voor één prima donna – en dat was Boris Becker.

Omdat hij min of meer in zijn eentje de Davis Cup stond te winnen, eiste zijn nieuwe manager Axel Meyer-Wölden dat de Duitse tennisbond met de nodige compensatie over de brug zou komen. In de Davis Cup verdien je eigenlijk geen geld; je speelt voor de eer en voor je land, waarbij het relatief bescheiden prijzengeld netjes onder de teamleden wordt verdeeld. Zo niet bij Boris. Hij eiste een contract voor vijf jaar met de ongehoorde garantie van 3,5 miljoen D-mark per jaar, exclusief bonussen. En hij kreeg het. Dat was nog zo'n tegenstrijdigheid in Boris' karakter: hij wist altijd precies te vertellen hoe het grote geld de tennissport had gecorrumpeerd, maar in werkelijkheid was hij een van de weinige tennissers die ongelooflijk zijn zakken vulde met megareclamedeals, megastartgelden en megabonussen. Dat verdiende hij ook, want hij was een fenomenale tennisser en een winnaar met een hoofdletter W.

Maar hij haalde dingen uit... Tijdens de Davis Cup-finale van 1988 in Göteborg waren de internationale journalisten verbaasd dat ze tijdens de persconferenties niet veel meer dan 'ja' en 'nee' uit de mond van de anders zo spraakzame Becker te horen kregen. Wat bleek? Hij had het 'exclusieve verhaal' voor 100.000 dollar aan een Duitse krant verkocht.

Ik herinner mij nog goed dat een Nederlandse krant schreef dat Boris Becker qua intelligentie 'lichtjaren vooruit lag op de andere tennissers'. Dat nieuws werd in de kleedkamer met hoongelach ontvangen. Agassi schreef in zijn autobiografie zelfs dat hij Becker steevast 'BB Socrates' noemde, omdat de Duitser het zo graag wilde doen voorkomen alsof hij erg intelligent en belezen was. Maar als ik iemand een intellectueel zou willen noemen, was het Michael Stich.

Hoewel Stich achttien toernooien zou winnen, de finale van Roland Garros en de US Open zou halen en tweede op de wereldranglijst werd, is zijn hele tenniscarrière overschaduwd door de monumentale aanwezigheid van Boris Becker. In 1991 stonden de twee Duitsers tegenover elkaar in de finale van Wimbledon. Stich won sensationeel in drie setjes, maar erg veel indruk maakte zijn overwinning niet. Zelfs de umpire maakte een historische vergissing door na het winnende punt: *Game, set and match Boris Becker* te oepen. 'Stich heeft het grootste tennistoernooi ter wereld gewonnen, maar bijna niemand heeft het gemerkt,' schamperde Becker daar zelf over.

'Boris beschouwde alle andere Duitse spelers als decoratie,' zei Michael laatst in een interview. 'Ze bungelden ergens onder hem, als mensen die nooit op zijn niveau zouden komen en die in zijn optiek nooit enige glans bij hem vandaan zouden kunnen halen. De meeste Duitse tennissers, ikzelf incluis, hebben nooit het respect gekregen dat we verdienden.'

Na zijn carrière heeft Boom Boom Becker een enorme omwenteling doorgemaakt. De onthulling van zijn pillenverslaving had al een flinke deuk in zijn imago gemaakt, maar de infameuze bezwangering op de trap van Nobu (terwijl zijn vrouw Barbara met vroegtijdige weeën in het ziekenhuis lag) deed veel Duitsers de wenkbrauwen fronsen. Zijn peperdure scheiding werd live op televisie uitgezonden. Daarna dreigde hij bijna de gevangenis in te draaien vanwege een belastingdispuut, en gingen diverse van zijn ondernemingen failliet.

Maar de laatste jaren laat Becker steeds meer merken dat zijn vermogen dan misschien is verminderd, maar zijn geestelijke bagage is gegroeid. Nu de druk van het almaar moeten presteren van zijn schouders is gevallen, durft hij eindelijk zichzelf te zijn. Zo heeft hij zich ontpopt tot een bescheiden en liefhebbende familieman die zijn kinderen vooropstelt. Boris is onlangs hertrouwd met de Nederlandse Sharlely Kerssenberg en voor de vierde keer vader geworden. Het lijkt erop dat de eens zo gespannen 'Fish' eindelijk in rustiger vaarwater terecht is gekomen.

BORIS BECKER OVER TENNIS:

'Op de baan is er niets wat ik niet zou doen om te winnen.'

'Mijn scheiding van Barbara was de grootste van al mijn nederlagen.'

JOHN NEWCOMBE

BIJNAAM **NEWK**
GEBOORTEDATUM **23 MEI 1944**
GEBOORTEPLAATS **SYDNEY, AUSTRALIË**
LENGTE **1.82 M**
GEWICHT **85 KG**
PROFDEBUUT **1968**
GESTOPT **1980**
GEWONNEN GELD **$ 1.062.408**
HOOGSTE POSITIE **1**

NR 16
JOHN NEWCOMBE

- GRAND SLAMS ● **7** ●
- AUSTRALIAN OPEN ● **1973** ● **1975** ●
- ROLAND GARROS ● **-** ●
- WIMBLEDON ● **1967** ● **1970** ● **1971** ●
- US OPEN ● **1967** ● **1973** ●
- ATP-ZEGES ● **32** ●

De Australische John Newcombe was een aanvallende speler met een goede service en messcherpe volleys. Zijn spel was perfect voor het gras, en dat was voordelig in een tijd waarin zowel Wimbledon als de US Open én Australian Open op gras werden gespeeld. Newcombe was een echte vechter; in vijfsetters was hij op zijn best: 'Als ik achter sta, gaat mijn adrenaline pas echt stromen.' Hij was een van de jongste spelers in de Davis Cup ooit en vormde een legendarisch dubbel met landgenoot Tony Roche. Samen wonnen ze maar liefst vijf keer Wimbledon, vier keer de Australian Open, twee keer Roland Garros en één keer de US Open. In totaal won Newcombe 25 grand slams, verdeeld over de singles, dubbels en mix.

Newcombe is altijd een groot fan van het dubbelspel gebleven en heeft met lede ogen moeten aanzien hoe het dubbelen steeds meer terrein heeft verloren. Jaren geleden heeft hij zelfs nog voorgesteld om spelers die zich inschreven voor een singletoernooi te verplichten ook mee te doen aan het dubbeltoernooi. Het zal niemand verbazen dat dit voorstel het niet heeft gehaald, maar het illustreert hoezeer de teloorgang van het dubbelspel Newcombe aan het hart gaat. Ik weet eigenlijk niet goed waarom het dubbelspel zo is gemarginaliseerd. Het trekt steeds minder publiek, en dat terwijl het een genot kan zijn om naar te kijken. Maar tennisfans kijken nu eenmaal graag naar de topspelers, en in tegenstelling tot vroeger dubbelen die nog maar zelden. Niet omdat ze het niet leuk vinden, maar omdat de tenniskalender overvol zit en de meeste toppers hun energie noodgedwongen in hun singles ranking steken.

Ik kom John Newcombe ieder jaar weer tegen op Wimbledon, en hij heeft de uitstraling van een echte heer. In zijn gloriedagen stond hij echter bekend als de *rowdy,* bier drinkende Australiër. Toen hij in 1971 de Wimbledonbeker kreeg uitgereikt door prinses Marina, vroeg deze: 'En, meneer Newcombe, wat gaat u nu doen?' John antwoordde hierop: 'Dit ding vullen en dan lekker dronken worden!'

Volgens George Bush sr. had Newcombe 'een zwarte band in bier drinken', maar die grap werd minder lollig toen zijn zoon George W. Bush in de nacht van 4 september 1976 werd gearresteerd wegens rijden onder invloed. Want wie zat er bij hem in de auto? Zijn drinkmaatje John Newcombe. In de jaren daarna ontpopte George W. zich tot *born again Christian* en werd hij geheelonthouder. De geschiedenis vertelt niet hoe het is afgelopen met zijn vriendschap met John, maar feit is dat Newcombe nog steeds zijn Tennis Ranch & Tennis Academy heeft in Texas.

In een tijd waarin proftennissers vooral keurig netjes waren, was de Australiër opvallend ongepolijst. Zo heeft hij het een keer gepresteerd om te zeggen dat de dames op Wimbledon 'voornamelijk kaarsjes op de taart' waren, ook al speelde hij zelf met veel succes mix-dubbel. Maar dat heeft hij vast met een knipoog bedoeld. Minder te spreken is Newcombe over de jeugd van tegenwoordig: 'Wij hadden een soort code als Australiërs dat je de baan niet afging voordat dat je helemaal onder het bloed zat. Dat is de hardheid die je nodig hebt om op het wereldtoneel te kunnen strijden. En ik heb het gevoel dat onze jeugd dat gewoon niet in zich heeft.'

Newcombe is het dan ook niet eens met het idee dat tennissers vroeger allemaal brave jongens in wit gesteven pakjes waren. 'Neem nou Pancho Gonzalez,' heeft hij eens gezegd. 'Dat was een van de meest agressieve spelers die ik ooit op een baan heb gezien. Hij had de beste service die ik ben tegengekomen, was geweldig aan het net en had zulke scherpe volleys... *In his days he would have eaten John McEnroe for breakfast.*' Over zijn liefde voor Wimbledon was hij al net zo duidelijk: 'Wimbledon? Dat is als honderd keer vrijen met de mooiste vrouw die ik ooit heb gezien.' John is altijd bescheiden gebleven over zijn plaats in de tennisgeschiedenis, maar het is

JOHN NEWCOMBE OVER TENNIS:

‘Je bent zo goed als je tweede service en je eerste volley.’

‘Het beste advies dat ik van mijn Davis Cup-captain Harry Hopman heb gekregen? Laat *nooit* iets negatiefs aan je tegenstander zien.’

‘Je ondekt alles wat je over een man wilt weten door hem op Centre Court neer te zetten.’

och wel heel bijzonder dat hij en Rod Laver le enige twee spelers zijn die zowel Wimbledon als de US Open hebben gewonnen als amateur én later als prof. Na zijn vele successen in de Davis Cup was het geen verrassing lat hij zelf werd gevraagd om captain te worden van het Australische Davis Cup-team. Dat deed hij met veel trots en plezier van 1995 tot 2000, met als hoogtepunt natuurlijk de overwinning in 1999 met zijn topspeler Lleyton Hewitt.

DON BUDGE

BIJNAAM **THE RUBBER MAN**

GEBOORTEDATUM **13 JUNI 1915**

OVERLEDEN **26 JANUARI 2000**

GEBOORTEPLAATS **OAKLAND, CALIFORNIË, VS**

LENGTE **1.86 M**

GEWICHT **73 KG**

PROFDEBUUT **1939**

GESTOPT **1953**

HOOGSTE POSITIE **1**

NR 17
JOHN DONALD 'DON' BUDGE

- GRAND SLAMS ● **6** ●
- AUSTRALIAN OPEN ● **1938** ●
- ROLAND GARROS ● **1938** ●
- WIMBLEDON ● **1937** ● **1938** ●
- US OPEN ● **1937** ● **1938** ●
- ATP-ZEGES ● **-** ●

Don Budge is een van de grote namen uit de geschiedenis van het tennis; niet in de laatste plaats omdat hij er als eerste in is geslaagd om alle vier de grand slams in één jaar te winnen. Als kind was Don veel meer geïnteresseerd in sporten als American football en baseball. Het duurde dan ook even voordat hij (gestimuleerd door zijn Schotse vader) voor het eerst een tennisracket oppakte. De lange, brede tiener bleek een natuurlijke flair voor het spel te hebben: hij had niet alleen een prachtige backhand maar ook een sterke service en scherpe volleys. In 1936 schopte Budge het al tot de halve finales van Wimbledon, maar daar bleek dat zijn spel nog enige tekortkomingen had. De ambitieuze jongen bleek zeer goed te kunnen analyseren wat hij moest veranderen. Hij nam vijf maanden vrij om te leren hoe hij de bal eerder moest nemen en sleutelde ook nog aan zijn forehand. Dat hij de juiste aanpassingen had gedaan, bleek een jaar later: Don Budge won toen niet alleen Wimbledon, maar meteen ook maar de US Open. Pers en publiek waren dol op de roodharige reus, en de topspelers van de nieuwbakken proftour roken hun kans. Grote namen als Big Bill Tilden, Ellsworth Vines en Fred Perry hadden hun amateurstatus namelijk al achter zich gelaten, en probeerden de nieuwe ster over te halen zich bij hen aan te sluiten. Hoewel Don Budge graag geld wilde gaan verdienen met zijn talent, durfde hij nog geen ja te zeggen. De regels waren immers duidelijk: zodra je als amateur 'overliep' naar het betaalde profkamp mocht je geen Davis Cup meer spelen voor je land. En dát wilde Budge nog heel graag een keer doen. Deze beslissing heeft de tennissport een van de meest beladen wedstrijden uit de geschiedenis opgeleverd.

In de halve finales van de Davis Cup moest de Amerikaan in de beslissende vijfde wedstrijd namelijk aantreden tegen een levende legende; een man die door de tenniswereld werd geprezen om zijn fair play – de Duitse 'tennisbaron' Von Cramm. In 1937 was Hitler net aan de macht gekomen, en aan de vooravond van de Tweede Wereldoorlog waren de nazi's erop gebrand om hun suprematie te etaleren. Het verslag van deze historische wedstrijd kun je lezen in het hoofdstuk over baron Von Cramm, die er absoluut niet van was gediend om als uithangbord te worden gebruikt. De jonge Don Budge had veel bewondering voor de erudiete Von Cramm, maar ondanks het wederzijdse respect maakten de mannen er een ongelooflijk spannende wedstrijd van. Toen de baron in de vijfde set met 4-1 voor kwam te staan, leek het afgelopen voor Budge. Hij vocht zich echter terug in de wedstrijd en had uiteindelijk zes matchpoints nodig om de overwinning met 8-6 in de wacht te slepen. Dankzij deze heroïsche comeback ging Amerika door naar de finale van de Davis Cup, die ze wonnen ten koste van Australië. In die tijd stond het veroveren van de Cup hoger aangeschreven dan het winnen van grand slams, en het succes maakte van The Rubber Man een *instant celebrity*. Maar toen moest zijn grootste kunststukje nog komen. In 1938 beleefde Don Budge een kroonjaar, met het winnen van de Australian Open, Roland Garros, Wimbledon en de US Open (het zogeheten 'Grand Slam'). Na het succesvol verdedigen van de Davis Cup was er geen twijfel meer mogelijk: Don Budge was een van de allergrootsten.

In 1939 stapte hij uiteindelijk toch over naar de professionals en tot 1942 kon hij zich meten met de besten. Zijn openingswedstrijd tegen Ellsworth Vines, in Madison Square Garden in New York, werd bijgewoond door maar liefst 16.725 toeschouwers. Budge won twee keer het speciale US Open dat door de profs werd georganiseerd, maar daarna gooide de oorlog roet in het eten. Hij werd opgeroepen voor de luchtmacht en na de oorlog keerde hij met een chronische schouderblessure terug op de Tour. 'Het scheurtje in mijn schouder genas niet en het littekenweefsel dat ontstond, maakte de blessure alleen maar erger,' zou hij daar later zelf over zeggen. Desondanks haalde Don Budge nog vier keer de finale van de US Open, maar hij verloor daarin drie keer van zijn grootste concurrent Bobby Riggs en één keer van de dertien jaar jongere Pancho Gonzalez.

Op een gegeven moment moest Don Budge accepteren dat hij werd afgelost door de nieuwe generatie. Hij is altijd betrokken gebleven bij het internationale toptennis en zijn meesterlijke inzicht werd nog vele jaren geraadpleegd. Zo vertelde John McEnroe in zijn biografie dat hij jarenlang niet kon winnen van Ivan Lendl, totdat Don Budge hem een aantal essentiële, tactische tips gaf. Budge bleef heel lang fit en kwiek, maar kort voor de millenniumwisseling raakte de 84-jarige met zijn auto van de weg. Hij moest uit het wrak gezaagd worden, en enkele weken later stierf de oude tenniskampioen in een verpleegtehuis aan een hartaanval.

DON BUDGE OVER TENNIS:

'Ik bid wel, maar ik bid niet om te winnen. Ik bid dat ik het beste uit mezelf kan halen.'

'Ik was kampioen bij de amateurs voor twee jaar, en daarna jarenlang de kampioen bij de profs. Niemand kon mij verslaan. Moet je nagaan hoeveel méér Wimbledon-titels ik had kunnen winnen als ik amateur was gebleven.'

BIG BILL TILDEN OVER DON BUDGE:

'Ik beschouw hem de beste 365-dagen-per-jaar-speler die ooit heeft geleefd.'

GUILLERMO VILAS

BIJNAAM **YOUNG BULL OF THE PAMPAS**
GEBOORTEDATUM **17 AUGUSTUS 1952**
GEBOORTEPLAATS **BUENOS AIRES, ARGENTINIË**
WOONPLAATS **BUENOS AIRES, ARGENTINIË**
LENGTE **1.80 M**
GEWICHT **75 KG**
PROFDEBUUT **1970**
GESTOPT **1992**
GEWONNEN GELD **$ 4.923.882**
HOOGSTE POSITIE **2**

NR 18
GUILLERMO VILAS

- GRAND SLAMS • **4** •
- AUSTRALIAN OPEN • **1978** • **1979** •
- ROLAND GARROS • **1977** •
- WIMBLEDON • **-** •
- US OPEN • **1977** •
- ATP-ZEGES • **62** •

Toen ik nog een klein jongetje was, namen mijn ouders me ieder jaar mee naar het ABN Amro-toernooi om de toptennissers te zien spelen. Een van de sterren die ik me het best kan herinneren, is Guillermo Vilas. Hij kon met zijn forehand de mooiste hoeken maken en had perfect getimede *running lobs*. Vilas 'had alles terug', zoals dat heet: hij maakte zijn tegenstanders horendol door de bal tot vervelens toe te retourneren. De razend populaire Guillermo, die zijn hele carrière met een brede hoofdband speelde, had met vijftig wedstrijden het record van de langste reeks ongeslagen partijen op gravel. Ilie Năstase was degene die de reeks stopte, maar hij gebruikte daarvoor het dubieuze 'spaghettiracket', dat later werd verboden. Het spaghettiracket was een Duitse uitvinding, waarbij er veel minder breedtesnaren werden gebruikt. De lengtesnaren waren niet geweven, maar moesten op hun plek worden gehouden met geknoopte plastic buisjes. Deze vreemde manier van opspannen zorgde ervoor dat een speler met minimale moeite twee keer zo veel spin kon meegeven aan de bal. Dit leidde tot curieuze uitslagen, omdat matig getalenteerde tennissers van verraste toppers konden winnen door de onverwachte effecten die er van het racket kwamen. Het ongelooflijke was dat Năstase kort daarvoor van iemand had verloren die met een spaghettiracket speelde. Dit had Năstase razend gemaakt en hij zwoer dat hij nooit meer zou tennissen tegen een speler met zo'n racket. Dat heeft hij ook niet gedaan, maar hij nam er wel zélf een ter hand om Vilas' record om zeep te helpen. Guillermo was met stomheid geslagen door zo veel brutaliteit en stormde van de baan af. Niet veel later werd het spaghettiracket verboden.

Na deze discutabele pot won Vilas overigens nogmaals 26 gravelpartijen op rij. De *winning streak* van vijftig wedstrijden is blijven staan tot de komst van de nieuwe gravelkoning Rafael Nadal. 'Volgens mij heeft hij expres makkelijke toernooien aan zijn schema toegevoegd, alleen maar om dat record te breken,' zei Guillermo Vilas eerst een beetje zuur over Nadal. Maar later voegde hij daaraan toe: 'Als ik het dan toch moest verliezen, dan het liefst aan zo iemand als hij. Het is een genot om hem te zien spelen en vechten.' De wil om strijd te leveren wordt heel belangrijk gevonden binnen de Argentijnse cultuur. 'Meer nog dan mooi spel zoeken Argentijnen vechtlust in hun sporthelden,' zei Vilas tegen *The New York Times* nadat landgenoot Juan Martín del Potro zich in de finale van de US Open van 2009 langs Roger Federer had geknokt. In het voetbalgekke Argentinië is het professionele tennis lange tijd niet helemaal serieus genomen. Zelfs een icoon als Guillermo Vilas kreeg geregeld de vraag of hij misschien was gaan tennissen omdat hij 'niet kon voetballen'. En dat terwijl de Young Bull of the Pampas een weergaloze carrière had neergezet. Zijn topjaar was 1977, toen hij van de 33 toernooien waarvoor hij zich had ingeschreven er maar liefst zeventien won, waaronder Roland Garros en de US Open. Vilas is ook de enige man in de geschiedenis die in één jaar op vijf verschillende continenten (Azië, Europa, Noord- en Zuid-Amerika en Afrika) een toernooi wist te winnen.

Voorlopig is Vilas de enige Argentijn die is opgenomen in de Hall of Fame, maar wie weet wat er nog kan gebeuren als Del Potro zijn stormachtige carrière zo voortzet. Juan Martín is een heel rustige, bescheiden jongen en dat kan het Argentijnse tennis wel gebruiken. Waar Vilas in de jaren zeventig en tachtig vooral in het nieuws kwam door zijn tennissuccessen en zijn wilde playboyimago (er was zelfs enige tijd sprake van een romance met prinses Caroline van Monaco), is het begrip 'Argentijnse tennisser' aan het begin van het nieuwe millennium vooral verweven geraakt met dopinggebruik. In 2000 werd Juan Ignacio Chela positief getest op steroïden. In 2001 werden bij Guillermo Coria sporen van nandrolon in zijn urine gevonden. Coria is daarop nog een rechtszaak begonnen tegen een Amerikaanse vitaminefabrikant wegens het verkopen van vervuilde preparaten, maar deze zaak is achter gesloten deuren geschikt. Mariano Puerta werd twee keer betrapt (in 2003 met clenbuterol en in 2005 met etilefrine) en Guillermo Canas kreeg eind 2005 een diureticum aangewreven, waarvan hij later weer gedeeltelijk werd vrijgesproken. Voeg daar de schorsingen van Martín Rodríguez en dubbelspecialist Mariano Hood nog aan toe, en het moge duidelijk zijn dat het Argentijnse tennis op zijn zachtst gezegd onder verdenking ligt. Gelukkig is de Wimbledon-finalist David Nalbandian altijd clean gebleven, en ik neem aan dat ons wat betreft Juan Martín del Potro geen nare verrassingen te wachten staan.

Ik zie Vilas nog geregeld bij de *Coup des Légendes*, het seniorentoernooi van Roland Garros, en de ijzervreter is er trots op dat hij inmiddels de oudste speler van het seniorencircuit is. De Argentijn heeft een tennisschool in Buenos Aires, waar hij jonge talenten begeleidt, maar het grootste gedeelte van het jaar woont hij in Monte Carlo. De wildebras van weleer heeft zich toegelegd op het schrijven van gedichtenbundels, en in interviews verzucht hij steeds vaker dat hij het jammer vindt dat hij nooit de juiste vrouw heeft gevonden, want 'een gelukkige relatie is de mooiste overwinning in dit leven'.

GUILLERMO VILAS OVER TENNIS:

'Je speelt een wedstrijd waarvan iedereen zegt: "Dat is de beste die we ooit hebben gezien!" maar volgend jaar is-ie alweer vergeten. Als tennisser moet je twee, drie keer per jaar de Mona Lisa schilderen.'

'Wij waren gek toen we jong waren, en dat zag je door de manier waarop er tennis werd gespeeld. Tegenwoordig zijn ze misschien nog wel veel gekker dan wij toen, maar je ziet het niet meer terug op de baan.'

ROY EMERSON

BIJNAAM **EMMO**
GEBOORTEDATUM **3 NOVEMBER 1936**
GEBOORTEPLAATS **BLACKBUTT, QUEENSLAND, AUSTRALIË**
WOONPLAATS **NEWPORT BEACH, CALIFORNIË, VS**
LENGTE **1.82 M**
GEWICHT **79 KG**
PROFDEBUUT **1968**
GESTOPT **1978**
GEWONNEN GELD **$ 400.000**
HOOGSTE POSITIE **1**

NR 19
ROY EMERSON

GRAND SLAMS ● **12** ●
AUSTRALIAN OPEN ● **1961** ● **1963** ● **1964** ● **1965** ● **1966** ● **1967** ●
ROLAND GARROS ● **1963** ● **1967** ●
WIMBLEDON ● **1964** ● **1965** ●
US OPEN ● **1961** ● **1964** ●
ATP-ZEGES ● **3** ●

Toen Pete Sampras op jacht ging naar het record van de meeste grandslamtitels (12), bleek dat in handen te zijn van Roy Emerson. De Australiër zei desgevraagd dat hij niet erg onder de indruk was van zijn eigen historische prestaties: 'Niemand hield zich in mijn tijd bezig met dat soort dingen. We speelden gewoon.' Wel vond Emmo dat hij eigenlijk 28 grandslamtitels achter zijn naam had staan, want hij telde zijn dubbeltitels ook mee: 'En dat record haalt écht niemand meer in, omdat er nog maar weinig wordt gedubbeld tegenwoordig.'

Ik weet niet of het helemaal waar is wat Roy Emerson zegt, want ook in de jaren zestig van de vorige eeuw was het bijzonder eervol om een grandslamtitel te winnen. Nadat Emerson in 1961 zijn eerste Australian Open had gewonnen, werd hij niet voor niets meteen benaderd door Jack Kramer, die niet lang daarvoor een bescheiden proftour had opgezet. Veelbelovende nieuwkomers probeerde hij meteen te strikken – en veelbelovend, dat was Roy Emerson zeker. De boerenzoon groeide op in het Australische gehucht Blackbutt, dat net zo afgelegen was als het klinkt. Om hun kinderen een beetje vermaak te kunnen bieden, hadden de ouders van Roy een grastennisbaan bij de boerderij aangelegd. De kleine Emmo heeft zichzelf daar leren tennissen, hetgeen meteen verklaart waarom hij zijn hele carrière met een afwijkende techniek heeft gespeeld. Zijn gebrek aan technische slagen werd echter meer dan gecompenseerd door zijn werklust, zijn uitzonderlijk sterke lichaam en zijn snelheid. Ken Rosewall noemde hem niet voor niets 'meer atleet dan tennisser'. Emerson heeft altijd gezegd dat het boerenleven een prima training voor hem is geweest, en dat hij dankzij het vele koeienmelken van die stevige polsen had gekregen.

Het was al uitzonderlijk dat Emerson zo fantastisch had leren tennissen zonder ooit les te hebben gehad, maar het werd nog uitzonderlijker toen hij op tienjarige leeftijd werd ontdekt door een tenniscoach die toevallig in de buurt van Blackbutt op vakantie was. Zeven jaar later mocht de ambitieuze boerenzoon al deelnemen aan zijn eerste grand slams. Hij had alleen de pech dat het internationale tennis in die tijd werd gedomineerd door een aantal van zijn landgenoten: niet alleen Ken Rosewall en Lew Hoad gingen er steeds met de hoofdprijzen vandoor, ook mannen als Neale Fraser en Ashley Cooper waren hem meestal de baas. Maar Emerson gaf niet op. Hij bleef keihard trainen om zijn spel te verbeteren, en kreeg daarbij gezelschap van een man die zijn hele carrière aan die van Emmo zou verbinden: Fred Stolle.

In 1956 verlieten Rosewall en Hoad het amateurcircuit en vertrokken naar de proftour van Jack Kramer. Het spanningsveld tussen amateurs en professionals is in dit boek al een paar keer ter sprake gekomen, maar zeker in het geval van Roy Emerson speelde de ruzie tussen beide partijen een grote rol. De tennisbonden waren in die tijd oppermachtig; alleen zíj mochten via kaartverkoop aan tenniswedstrijden verdienen en het idee dat de spelers een deel van de winst zouden moeten krijgen, werd decennialang als 'hoogst ordinair' weggewuifd. Amateurs mochten schitteren op de grand slams en voor hun land uitkomen in de Davis Cup, waardoor zij in de ogen van het publiek heuse sterren waren. Maar achter de schermen trokken de officials aan de touwtjes: zij bepaalden waar en wanneer de tennissers moesten spelen, en verder was het *shut up and play*.

Het was dus zeker niet alleen voor het geld dat de beste spelers 'overliepen' naar de profs. Daarbij zochten zij ook de competitie en die was bij de amateurs nu eenmaal in beperkte mate voorhanden. In de beginjaren was het leven op de nieuwbakken proftour overigens geen vetpot. De spelers waren blij dat ze onder het juk van de tennisbonden uit waren, maar erg luxe was het allemaal niet, getuige de anekdote van Mike Davies over zijn eerste profwedstrijd in 1960: 'Ze brachten ons naar een kleedkamer die helemaal kaal was, geen meubels, geen tapijt – niks. Ik was samen met Tony Trabert. Hij haalde een grote spijker uit zijn tas en sloeg die in de muur. Toen zei hij: "Luister eens, *rookie*, je bent nu een profspeler; dat betekent dat je je eigen kleedkamer moet meebrengen."'

Nadat al zijn succesvolle landgenoten naar Jack Kramer waren verdwenen, greep de hardwerkende Roy Emerson in 1961 de macht met zijn eerste titel op de Australian Open, ten koste van een ander nieuw talent: Rod Laver. Toen Jack hem prompt 10.000 dollar bood om ook op de proftour te komen spelen, heeft Emerson dat aanbod beleefd afgeslagen. 'Mijn liefde voor het tennis was te groot,' zei hij later. 'Ik wilde de Australische kampioenschappen, Roland Garros, Wimbledon en New York niet missen. Zelfs voor geen miljoen.'

Emerson en Laver gingen in het amateurcircuit een tijdje gelijk op, totdat Laver hem in 1962 definitief voorbij ging door alle vier de grand slams in één jaar te winnen, waarvan drie finales tegen Emerson. Rod Laver liet er vervolgens geen gras over groeien en spoedde zich naar de proftour, die hij nog jarenlang zou domineren.

ROY EMERSON OVER TENNIS:

'Je moet nooit achteraf klagen over een blessure. Wij Australiërs geloven dat als je speelt, je dus *niet* geblesseerd bent. En verder niks.'

'Ik hoef geen persoonlijkheden op de baan, ik ga naar een wedstrijd voor de spanning, de slagenwisselingen en de techniek. Als ik typetjes wil zien, ga ik wel naar Sea World.'

'Vergeet vooral niet te trainen op je return. Dit is de slag die bijna niemand in het tennis voldoende oefent; en dat terwijl je hem bijna net zo vaak moet slaan als een service.'

Emmo ging niet mee. De International Lawn Tennis Federation was zó bang dat ze ook hun laatste kampioen aan Jack Kramer zouden verliezen, dat ze Emerson onder de tafel allerlei deals aanboden. Via diverse slinkse constructies kon de Australiër goed geld verdienen, zolang hij maar bij de amateurs zou blijven spelen. Samen met zijn vriend Fred Stolle begon Emerson aan een ongekende zegereeks. Hij won niet alleen het tot dan toe ongeëvenaarde aantal van twaalf grandslamtitels in de single, maar verzamelde ook dubbeltitels alsof het suikerzakjes waren.

Was Roy Emerson een goede speler? Uiteraard, daar is geen twijfel over mogelijk. Ik heb zelf een aantal keren bij Emerson in Miami mogen trainen. Bondscoach Stanley Franker was bevriend met Roy en vroeg hem naar mijn spel te kijken. Emmo heeft me goed geholpen met mijn volleys, maar vooral met mijn slice backhand. Als autodidact heeft hij altijd een scherp oog gehouden voor de finesses van het spel. Maar betekende het grandslamrecord van Roy Emerson dat hij zo veel beter was dan de rest? Absoluut niet. Fred 'Fiery' Stolle en hij hadden jarenlang zo weinig tegenstand dat ze volgens de gerenommeerde Amerikaanse tennisjournalist Bud Collins bekendstonden als het duo 'Snooze and Booze': de ene nacht ging Roy op stap en bleef Fred in het hotel om bij te slapen, en de andere nacht deden ze het andersom. Zo was altijd een van de twee fit voor de wedstrijd, en blijkbaar was dat genoeg.

Desondanks bleef Jack Kramer proberen om Roy Emerson, die inmiddels wereldwijd bekendstond als *the giant of amateur tennis*, naar het profkamp te krijgen. Op een gegeven moment bood hij de Australiër zelfs 125.000 dollar, een vermogen in die tijd. Toch koos Emerson ervoor om bij de amateurs te blijven, en ik denk dat ik wel weet waarom. In 1967 had Roy nog twee grandslamtitels veroverd, de Australian Open en Roland Garros. Maar in het voorjaar van 1968 wist Jack Kramer eindelijk zijn gedroomde doorbraak te forceren: de International Lawn Tennis Federation besefte dat hun krampachtige weigering niet langer houdbaar was, en stelde vanaf dat moment alle toernooien plus de grand slams weer open voor de spelers die naar de proftour waren gegaan.

Hoewel Emerson nog tot 1974 bleef tennissen, zou hij op de grandslamtoernooien nooit meer verder reiken dan de kwartfinale. Rod Laver zette het amateurcircuit te kijk door in 1968 meteen Wimbledon te winnen en in 1969 wederom alle vier de grand slams in één jaar op zijn naam te schrijven. De hegemonie van Emerson was definitief voorbij de giant was weer terug op aarde. Toch denk ik dat hij al die jaren ongelooflijk veel plezier heeft gehad. Hij was liever een grote vis in een kleine vijver dan een kleine vis in een grote vijver. In 1976 publiceerde hij samen met Rod Laver een populair instructieboek met een wel zeer toepasselijke titel: *Tennis for the Bloody Fun of It.*

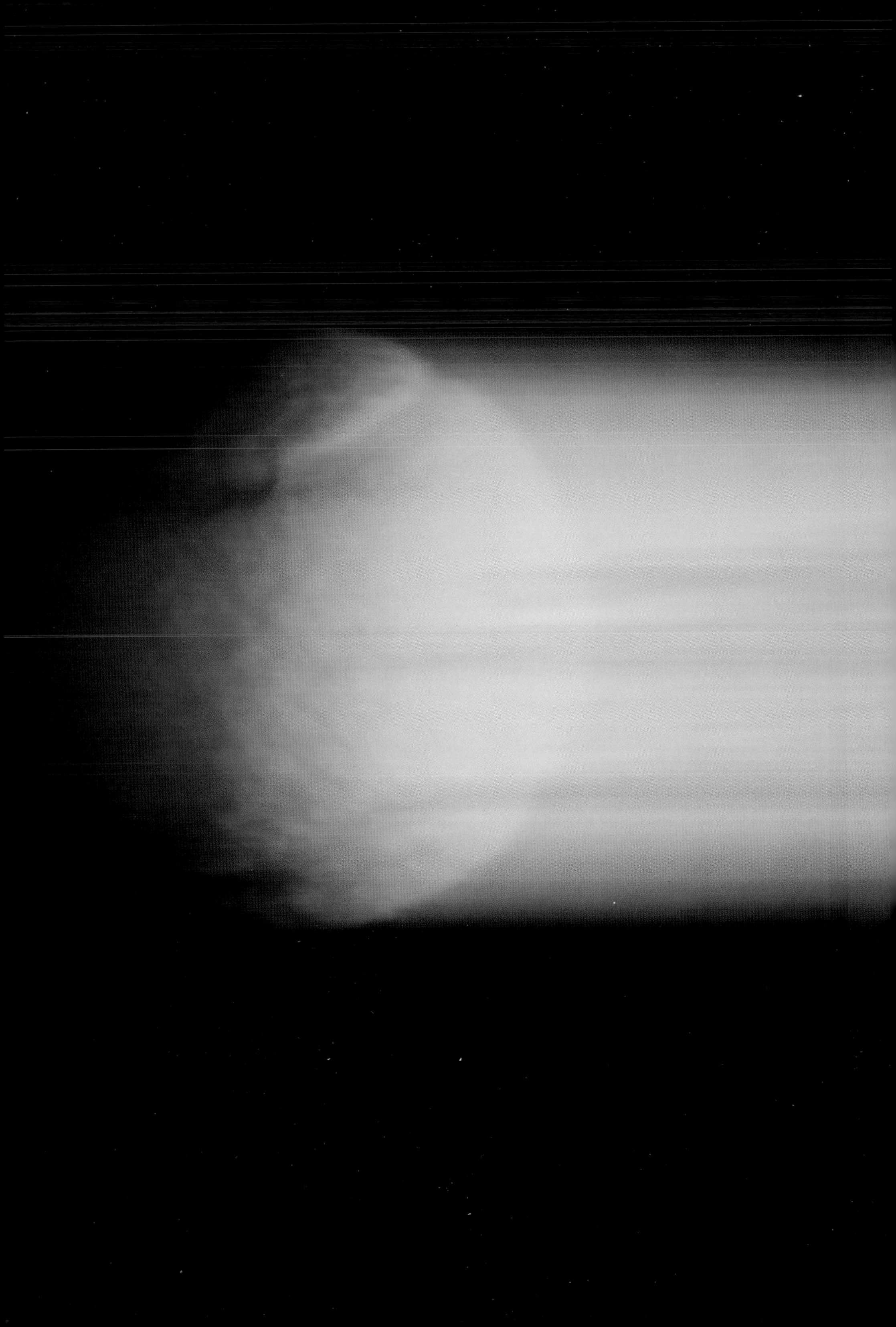

DE 13 MEEST MARKANTE SPELERS ALLER TIJDEN

JACK KRAMER

BIJNAAM **BIG JAKE, MR. TENNIS**
GEBOORTEDATUM **1 AUGUSTUS 1921**
OVERLEDEN **12 SEPTEMBER 2009**
GEBOORTEPLAATS **LAS VEGAS, NEVADA, VS**
WOONPLAATS **BEL AIR, CALIFORNIË, VS**
PROFDEBUUT **1939**
GESTOPT **1954**
HOOGSTE POSITIE **1**

JACK KRAMER

- GRAND SLAMS ● **3** ●
- AUSTRALIAN OPEN ● **-** ●
- ROLAND GARROS ● **-** ●
- WIMBLEDON ● **1947** ●
- US OPEN ● **1946** ● **1947** ●
- ATP-ZEGES ● **-** ●

Als ik in twee woorden zou moeten samenvatten waarom het proftennis zo'n global business is geworden, zou ik daar niet lang over na hoeven denken: Jack Kramer. Toen hij nog in het amateurcircuit speelde, pleitte hij er al voor om die hele poppenkast maar op te geven, want de beste amateurs werden volgens hem toch gewoon onderhands betaald. Het idee dat het tennis zijn charme en integriteit zou verliezen als de spelers er geld mee konden verdienen, was echter behoorlijk hardnekkig.

Het zou dan ook nog twee decennia duren voordat het toekomstideaal van Jack Kramer bewaarheid werd. In 1972 stond hij aan de wieg van de ATP (Association of Tennis Professionals). Hij werd niet alleen de eerste voorzitter van de spelersvakbond, maar was ook de bedenker van het rankingsysteem. Sindsdien bleef de gedreven Amerikaan een onvermoeibaar promotor van het internationale tennis. Hij organiseerde diverse toernooien en gaf meer dan twintig jaar televisiecommentaar: tijdens Wimbledon voor de BBC en tijdens de US Open voor de Amerikaanse netwerken.

Jack Kramer bleef zijn hele carrière op zoek naar mogelijkheden om het tennis groter, beter en aantrekkelijker te maken. Hij pleitte er jaren voor om de Davis Cup in een WK-format te gieten, waarbij de zestien beste landen in één stad zouden samenkomen en het daar ter plekke zouden uitvechten. Eerlijk gezegd vind ik dat nog steeds een prima idee, want zo vergroot je de betrokkenheid van de fans en creëer je rond de Davis Cup eenzelfde soort nationale opwinding als bij het voetbal.

Doordat hij na zijn carrière uitgroeide tot een soort über-bobo, zijn veel mensen vergeten dat Kramer zelf ook een fantastische tennisser was. In 1934 zag de dertienjarige Jack op een jaarmarkt een demonstratiepartij van de elegante tennislegende Ellsworth Vines. Vanaf dat moment wist hij het zeker: hij moest en zou tennisser worden. Om zelfs maar in de buurt van een tennisbaan te kunnen komen, moest Jack twee bussen en een tram nemen, maar het magere mannetje liet zich door niets weerhouden.

Jack Kramer, zoon van een eenvoudige spoorwegwerker, groeide uit tot een zeer atletische service-volleyspeler, en in 1946 en 1947 werd hij de nummer één van de wereld. Hij kreeg zelfs als eerste zijn eigen racket, de Wilson Jack Kramer. Dat was uiteraard nog een houten racket, en Kramer is altijd van mening gebleven dat die veel beter waren dan de latere graphite rackets. Ondanks zijn vele overwinningen bleef hij, nadat hij met tennissen was gestopt, nuchter over zijn faam: 'Veel kinderen denken waarschijnlijk dat ik een merk ben en hebben geen idee dat Jack Kramer een racket vasthield, voordat hij een racket werd.'

Tijdens mijn profcarrière heb ook ik regelmatig met de Wilson Jack Kramer getraind. Houten rackets zijn goed voor je techniek, want ze dwingen je om je slag af te maken. Wanneer je niet op de juiste manier een volley of slice speelt, straft een houten racket dat onmiddellijk af door de bal dood van je racket te laten vallen.

Het feit dat donkere jongens als Arthur Ashe doorbraken, vond Kramer fantastisch: 'Wat is een beter symbool voor de open era dan een zwarte held, zodat voor eens en voor altijd duidelijk is dat de dagen van de gesloten country clubs voorbij zijn?' Maar vrouwentennis – dat heeft hem nooit kunnen bekoren. Nadat hij een keer van de baan moest om plaats te maken voor een vrouwenpartij, verzuchtte Kramer: 'Het zou niet toegestaan moeten zijn dat vrouwen op het Centre Court spelen.' Hierin stond hij overigens niet alleen. Ook een man als Arthur Ashe, die toch moest weten hoe het voelde om gediscrimineerd te worden, zag weinig in vrouwentennis.

Kramer: 'Toen ik het Pacific Southwest-toernooi organiseerde, hadden we altijd een heel sterk vrouwenveld. Daar heb ik het precies kunnen bestuderen, en ik zag de waarheid. Namelijk dat mensen opstonden om een hotdog te halen of naar de wc te gaan zodra er een vrouwenpartij begon.' Daarom besloot Kramer de mannelijke winnaar 12.500 dollar te geven en de vrouwelijke 1.500 dollar. Topspeelster Gladys Heldman was daar zo boos over, dat zij haar eigen toernooi begon: de Virginia Slims in Houston, voorloper van de zeer succesvolle Virginia Slims-vrouwentour, die later met behulp van Billie Jean King werd uitgebouwd tot de WTA Tour. Jack Kramer heeft in de jaren daarna meerdere malen zijn bewondering uitgesproken voor Heldmans capaciteiten als zakenvrouw.

Zelf verdiende hij veel geld met de exploitatie van zijn diverse golfbanen. De winst die hij daaruit behaalde, stak hij niet zelden in de tennissport. Toen het toernooi van Los Angeles (dat ik later zelf nog twee keer zou winnen) in financiële moeilijkheden bleek te verkeren, investeerde Jack Kramer 100.000 dollar eigen geld, en hij zette van 1979 tot 1983 als toernooidirecteur van het Jack Kramer Open het evenement terug op de kaart. Toen Mr. Tennis in het najaar van 2009 overleed, was het dan ook bijzonder passend dat de herdenkingsdienst werd gehouden in het stadion van het Los Angeles Open.

JACK KRAMER OVER TENNIS:

'Het heeft geen nut om je uit de naad te werken om de service van de tegenstander te breken, als je daar vervolgens zo moe van wordt dat je je eigen service niet kunt houden. Het gaat om prioriteiten. Percentages. Zoek de belangrijke punten uit.'

'Ik werd er altijd pissig van dat grasspelers werden weggezet als mannen die alleen maar service-volley konden spelen. Ik vind graveltennissers juist beperkt; die kunnen alleen maar defensieve groundstrokes slaan.'

FRANK SEDGMAN

BIJNAAM **SEDGIE**

GEBOORTEDATUM **29 OKTOBER 1927**

GEBOORTEPLAATS **MONT ALBERT, VICTORIA, AUSTRALIË**

LENGTE **1.80 M**

GEWICHT **77 KG**

PROFDEBUUT **1950**

GESTOPT **1961**

GEWONNEN GELD **MEER DAN $ 350.000**

FRANK SEDGMAN

- GRAND SLAMS ● - ●
- AUSTRALIAN OPEN ● - ●
- ROLAND GARROS ● - ●
- WIMBLEDON ● **1939** ●
- US OPEN ● **1939** ● **1941** ●
- ATP-ZEGES ● - ●

Eerlijk gezegd wist ik lange tijd niet precies wie Frank Sedgman was. Natuurlijk had ik zijn naam weleens gehoord, maar als je jong bent, ben je nogal geneigd om toppers van lang geleden weg te schrijven onder het kopje 'oude knarren'. Totdat je zelf ouder wordt, en daarmee gevoeliger voor geschiedenis, traditie en mooie levensverhalen. Frank Sedgman was een van de vele Australische grootheden die het tennis hebben gedomineerd. Hij was de oogappel van Harry Hopman, de legendarische Davis Cup-coach die in achttien jaar tijd maar liefst vijftien keer de titel wist te winnen. In een tijd waarin de Davis Cup ongekend veel prestige had en het dubbelspel een enorme populariteit genoot, was Frank Sedgman dé man. Samen met zijn dubbelspelpartner Ken McGregor harkte hij de ene na de andere titel binnen. Sedgman en McGregor zijn tot nu toe nog steeds het enige dubbel dat alle vier de grand slams in één jaar wist te winnen. Met in totaal 22 belangrijke overwinningen in singles, dubbels en mixdubbels staat Sedgman derde in het rijtje mannen met de meeste gewonnen grand slams.

Maar Frank had de pech dat hij op de breuklijn speelde tussen het amateur- en het proftennis. Behalve de adoratie van het grote publiek verdiende hij niets met zijn tennistalent. Hij zag veel spelers 'overlopen' naar het profcircuit, maar zelf durfde hij die stap niet te zetten. Dat kwam vooral door Harry Hopman. Proftennissers mochten namelijk niet meer deelnemen aan het Davis Cup-toernooi, en Hopman wilde zijn 'Sedgie' graag voor het Australische tennis behouden. Via zijn krantencolumn in de Melbourne Herald begon Hopman een campagne om Sedgman amateur te houden. De nationale bedelactie haalde genoeg geld binnen om een benzinestation te kunnen kopen, dat op naam van Franks aanstaande echtgenote werd gezet. Zo bleef Frank Sedgman nog één jaar amateur – en werd in 1953 samen met Ken McGregor alsnog prof. Alleen in dat circuit kon hij de strijd aangaan met de besten ter wereld, zoals Jack Kramer. En hij verdiende eindelijk geld: 'Ken en ik waren allebei getrouwd en we hadden kinderen, dus we wilden de toekomst van onze gezinnen financieel veiligstellen. Maar we kregen veel kritiek vanuit de pers en een slecht imago bij het publiek, omdat het zo werd gebracht dat wij Australië in de steek hadden gelaten.'

Ook Harry Hopman was op zijn zachtst gezegd niet blij. Volgens Jack Kramer kon de Davis Cup-coach totaal geen begrip opbrengen voor spelers die prof werden. 'Vanaf het moment dat een van zijn sterren prof werd, was Hopman er klaar mee. Het maakte niet uit hoe close hij met een speler was geweest; zodra je buiten Hopmans bereik was, was je dood en begraven. "Het was alsof we nooit hadden bestaan," heeft Rosewall eens gezegd,' zo schreef Kramer in zijn biografie.

Frank Sedgman heeft zich de kritiek altijd erg aangetrokken en het deed hem pijn dat de Australische tennisbond hem min of meer verstootte. Maar op de proftour werd hij wel de eerste speler die meer dan 100.000 dollar in één jaar verdiende, en tot begin jaren zestig kon hij met de besten mee. Ook daarna hield hij zichzelf in vorm, door te spelen tijdens de 'Grand Masters Tour for ex-champs over 45'. Sedgman bleef altijd een stijlvolle service-volleyer, al had hij dat vernieuwende speltype slim afgekeken van Jack Kramer.

Toen hij in 2007 tachtig jaar werd, werd er een groot feest georganiseerd en werd hij door de Australische tennisbond geëerd als een van de allergrootsten, 'een legende die voor anderen de weg heeft gebaand'. De verloren zoon was weer thuis.

ROBERT RIGGS

BIJNAAM **BOBBY**

GEBOORTEDATUM **25 FEBRUARI 1918**

OVERLEDEN **25 OKTOBER 1995**

GEBOORTEPLAATS **LOS ANGELES, CALIFORNIË, VS**

WOONPLAATS **LEUCADIA, CALIFORNIË, VS**

LENGTE **1,73 M**

GEWICHT **64 KG**

PROFDEBUUT **1942**

GESTOPT **1950**

HOOGSTE POSITIE **1**

ROBERT 'BOBBY' RIGGS

GRAND SLAMS • **3** •
AUSTRALIAN OPEN • **-** •
ROLAND GARROS • **-** •
WIMBLEDON • **1939** •
US OPEN • **1939** • **1941** •
ATP-ZEGES • **-** •

Robert 'Bobby' Riggs is vooral de geschiedenis ingegaan als de man die in The Battle of The Sexes in 1973 smadelijk werd verslagen door Billie Jean King. Zelfs mensen die niets van tennis weten, kennen dat verhaal: het feit dat en seksistische mannelijke tennisser werd afgedroogd door een vrouwelijke tennisser werd wereldwijd gevierd als een overwinning van het feminisme. Toch zou ik het jammer vinden als die wedstrijd het enige is wat het publiek zich van Bobby Riggs herinnert, want de man was een intrigerende persoonlijkheid. Volgens Jack Kramer was Riggs een van de meest ondergewaardeerde tennissers aller tijden. Hij durfde Riggs qua niveau zelfs te vergelijken met de legendarische Pancho Gonzalez. Hij moet ook wel erg goed zijn geweest, want Bobby was de nummer één bij de amateurs in 1941, en later nog eens bij de profs in 1946 en 1947.

Maar boven alles was Bobby Riggs een onverbeterlijke sjacheraar. Hij wedde voortdurend op zijn eigen wedstrijden, maar dan wel alleen op zijn eigen winst. Zo heeft hij maar één keer op Wimbledon gespeeld, in 1939. Speciaal voor de gelegenheid had Riggs 500 dollar ingezet op de uitkomst dat hij de single, de dubbel én de mix zou winnen. In de week voor Wimbledon verloor hij nog kansloos in de eerste ronde van het grastoernooi in Queens, waarschijnlijk om zijn kansen te vergroten. Toen hij inderdaad met alle drie de titels aan de haal ging, verdiende hij maar liefst 100.000 dollar, wat omgerekend naar nu een opbrengst van ongeveer 1.000.000 dollar zou zijn. Door zijn amateurstatus kon hij dat geld echter niet meenemen naar Amerika, waardoor hij het noodgedwongen op een Engelse bank liet staan. Toen niet veel later de Tweede Wereldoorlog uitbrak, heeft Riggs al die tijd in Amerika zitten duimen dat de Duitsers niet tot in Londen zouden komen. Na de oorlog kreeg hij het geld terug – met een aardige rente.

Na zijn glorieuze optreden op Wimbledon won Riggs nog tweemaal de US Open en vele andere toernooien. Maar in zijn hart bleef hij een sjacheraar die het liefst voor geld speelde. 'Als ik niet voor veel geld kan spelen, dan speel ik voor weinig geld. En als ik niet voor weinig geld kan spelen, dan blijf ik die dag in bed,' zei hij eens in een interview op de Amerikaanse televisie. De Pietje Bell onder de tennissers ging ook na zijn carrière nog jarenlang allerlei geestige weddenschappen aan. Zo wedde hij tien tegen één dat hij van een tegenstander kon winnen als hij met een braadpan speelde in plaats van een tennisracket. Ook hield hij in zijn linkerhand een stoel vast, of hij bond een emmer onder zijn voet. Riggs bleek ook goed te kunnen golfen, dus het duurde niet lang of hij ging ook in die sport diverse weddenschappen aan, zoals achttien holes lopen met één club.

In 1973 was Bobby Riggs 55 jaar. De oude vos had zijn streken echter nog niet verleerd en te midden van de eerste feministische golf be
dacht hij een leuke weddenschap die niet allee
veel publiciteit voor de tennissport zou genere
ren, maar hem ook veel centjes kon opleveren
Hij ging op zijn oude dag tennissen tegen d
nummer één van de vrouwen, de dertigjarig
Margaret Court. Zij was op dat moment al ee
levende legende, maar Riggs begon in een uit
gekiende campagne het vrouwentennis naa
beneden te halen: vrouwen hoorden in bed e
achter het aanrecht, in die volgorde, en zelfs d
nummer één kon zo'n oude man als hij vast nie
verslaan.

De kranten stonden er bol van, vrouwenor
ganisaties spraken er schande van en Margare
Court kon eigenlijk niet anders dan de wedden
schap aangaan. Op Moederdag 1973 werd z
door de handige dropshots en lobjes van Bobb
Riggs beschamend ingemaakt met 6-2 en 6-
Maar Riggs was nog niet klaar; hij rook ee
grotere financiële kans en de mogelijkheid o
zijn geliefde tennis wereldwijd onder de aan
dacht te brengen. En dus daagde hij een paa
maanden later een andere toptennisster uit: d
dertigjarige Billie Jean King. Met veel gevoe
voor pr noemde hij de tweestrijd 'The Battl
of the Sexes', en streek net als King een enorm
bedrag aan startgeld op. De wedstrijd werd in
ternationaal gehypet en de immense Housto

strodome was tot de nok toe gevuld met pu-
liek. Riggs speelde zijn rol als *male chauvinist*
ig met verve en joeg de spanning (en de wed-
antoren) nog verder op met denigrerend com-
nentaar over vrouwen en het vrouwentennis.
o zei hij dat hij helemaal geen vrouwenhater
vas: 'Ik vind vrouwen juist geweldig! Iedere
nan zou er twee moeten hebben.' Door alle op-
chudding in de pers werd Billie Jean King we-
eldwijd hét symbool voor onderdrukte vrou-
ven. En toen gebeurde het onverwachte: King
ersloeg Riggs gemakkelijk met 6-4, 6-3, 6-3,
n veranderde daarmee definitief in een femi-
istisch icoon. 'Bobby tenniste voor het geld,'
ei Billie Jean, 'maar ik voor een hoger doel.'

e vraag is natuurlijk in hoeverre Bobby écht
enniste voor het geld. Had hij expres verloren?
egen zichzelf gewed? Begreep hij wat voor
norme opsteker zijn verlies voor het vrouwen-
ennis zou zijn? Of had hij een paar maanden
a zijn winst op Margaret Court daadwerkelijk
en pak slaag gekregen van de getergde Billie
ean King? 'De operatie was een groot succes,
en fantastische promotie,' zei Riggs er zelf
ver. 'Er was maar één dingetje: ik, de patiënt,
vas overleden. *But hey, a happy ending. I*
ried all the way to the bank.'

Waar Billie Jean King nog jarenlang op handen werd gedragen, verdween Bobby Riggs in de anonimiteit. Toch bleven de twee altijd bevriend. In 1995 overleed Riggs, zijn lichaam gesloopt door kanker. King wilde hem nog bezoeken, maar de oude sportman wilde liever niet dat iemand hem zo afgetakeld zou zien. In een HBO-documentaire over haar leven vertelt Billie Jean dat ze Bobby de avond voor zijn overlijden nog heeft gebeld. Zijn laatste woorden aan haar? 'I love you.'

ROBERT RIGGS OVER TENNIS:

'Een tennisser is de meest complete atleet. Hij moet de snelheid hebben van een sprinter, het uithoudingsvermogen van een marathonloper, de beweeglijkheid van een bokser of een schermer, en de intelligentie van een goede quarterback. Baseball, American football en basketbal kennen allemaal goede atleten, maar zij hebben niet al deze eigenschappen nodig om goed te kunnen presteren.'

ROSCOE TANNER

BIJNAAM **BULLET MAN, ROCKET ROSCOE**
GEBOORTEDATUM **15 OKTOBER 1951**
GEBOORTEPLAATS **CHATTANOOGA, TENNESSEE, VS**
WOONPLAATS **KIAWAH ISLAND, SOUTH CAROLINA, VS**
LENGTE **1,83 M**
GEWICHT **77 KG**
PROFDEBUUT **1974**
GESTOPT **1983**
GEWONNEN GELDBEDRAG **$ 1.696.198**
HOOGSTE POSITIE **4**

ROSCOE TANNER

GRAND SLAMS ● **1** ●
AUSTRALIAN OPEN ● **1977** ●
ROLAND GARROS ● - ●
WIMBLEDON ● - ●
US OPEN ● - ●
ATP-ZEGES ● **16** ●

Iet is voor veel atleten niet makkelijk om na de
rofessionele sport vorm te geven aan het 'ge-
vone' leven. Weg is de vertrouwde dagindeling
an twintig jaar trainen. Weg is de euforie van
et winnen en het presteren op de toppen van
e kunnen. Wanneer je iets bereikt waarvoor je
aren hebt getraind, word je overspoeld door
rote golven van geluk. Marco van Basten heeft
it gevoel treffend omschreven als 'oceaan-
reugde'. Na zulke ervaringen lijkt het dagelijks
even nog het meest op een koud kikkerbadje.
Ioewel veruit de meeste professionele atleten
a een rusteloze periode weer een bepaalde
alans in hun leven vinden, zijn er natuurlijk
ltijd een paar die de weg kwijtraken – denk al-
een al aan O.J. Simpson. Maar je hoeft geen
noordenaar te worden om je oude vrienden in
erbijstering achter te laten. De charismatische
merikaan Roscoe Tanner, winnaar van de Au-
tralian Open in 1977 en Wimbledon-finalist
n 1979, heeft zijn voormalige collega's gecho-
ueerd met zijn roemloze aftakeling.

Tanner was de enige zoon van een rijk echtpaar, dat hem echter nooit buitensporig had verwend. De jonge Roscoe was dan ook een welopgevoede, charmante student, die iedereen van de baan blies met zijn snoeiharde service. In de tijd van de houten rackets serveerde Rocket Roscoe al met 225 kilometer per uur, een snelheid die pas veel later is geëvenaard door spelers als Roddick, Rusedski en Philippoussis. (Veel mensen schijnen te denken dat harde serveerders dat alleen kunnen bij de gratie van moderne rackets, maar Mark Philippoussis heeft eens een test gedaan met verschillende

houten rackets en sloeg toen even hard.) He
duurde niet lang of Roscoe Tanner veroverd
de Australian Open. Hij had het uiterlijk va
een filmster en een onverwoestbaar geloof i
zichzelf. Overal waar hij kwam, werd Bulle
Man door het publiek op handen gedragen
Ook zijn collega's liepen met hem weg. Volgen
Stan Smith kon je ongelooflijk met hem lachen
John McEnroe zei dat hij nooit had verwach
dat uitgerekend een zondagskind als Rosco
Tanner aan lagerwal zou raken. Maar dat is we
wat er uiteindelijk is gebeurd.

Niemand weet precies hoe het is gekomen
want Tanner had geen gokprobleem, gee
drugsverslaving en was niet aan de drank. Hi
had veel gewonnen, en nog veel meer geld ver
diend met sponsorcontracten voor rackets
kleding en schoenen. Zeker na zijn Wimble
don-finale tegen Björn Borg, waarin hij het d
Zweed vijf sets heel moeilijk had gemaakt, ge
noot hij een enorme populariteit. Kort daarn
haalde hij de halve finales van de US Ope
ten koste van Borg; een wedstrijd waarin hi
naar verluidt een netkabel kapotsloeg me
een service. Amerika lag aan zijn voeten – e
de vrouwen ook. Roscoe Tanner ging vreem
bij het leven en verwekte een kind bij een es
cortgirl, iets wat zijn echtgenote uiteraard nie
wist te waarderen. De escortgirl eiste bij d

echter een half miljoen dollar aan kinderbijslag, maar de verontwaardigde Tanner zei dat de DNA-test met een uitslag van 99,5% 'niet helemaal doorslaggevend' was. Zijn vrouw ging na vijftien jaar van hem scheiden en dwong hem via de rechter tot het betalen van kinderbijslag voor zijn andere twee dochters. Ook aan die verplichting heeft hij zelden voldaan.

Hierna volgde een lange reeks rechtszaken, arrestaties en gevangenisverblijven. Na zijn carrière deed Tanner slechte investeringen, leefde op veel te grote voet, leende geld van vrienden en collega's zoals Björn Borg, maar betaalde nooit iets terug. Hij kocht een boot met een ongedekte cheque, vluchtte naar Duitsland, werd daar op een toernooi van de Senior's Tour gearresteerd en moest naar de gevangenis in Florida. Zijn ex-vrouw kon inmiddels het hoofd amper boven water houden en verkocht zijn trofee van de Australian Open voor 10.000 dollar. De Davis Cup-schaal van 1981 brachts slechts 1.900 dollar in het laatje. In de gevangenis zei Tanner dat hij God had gevonden door iedere dag naar *Hour of Power* te kijken. In 2005 publiceerde hij een openhartige biografie, *Double Fault: My Rise and Fall, and My Road Back*, en Stan Smith schreef zelfs het voorwoord. Maar of hij echt genezen was? Zijn ex-vrouw moest hem weer voor het gerecht slepen voor de alimentatie en hij peuterde met zijn charmante gedrag nog steeds links en rechts 'leningen' los, die hij nooit terugbetaalde.

Roscoes rijke, negentigjarige vader helpt hem inmiddels niet meer. Pa Tanner is nog steeds dol op zijn charismatische zoon, maar vindt ook dat die moet leren zijn eigen boontjes te doppen. Roscoes oude tennisvrienden eisen dat hij de verantwoordelijkheid voor zijn kinderen op zich neemt.

En Roscoe zelf? Die kreeg een mooie baan om les te geven op drie tennisclubs in Californië. Al snel was hij daar de populairste leraar en maakte hij zich geliefd bij jong en oud. Behalve bij zijn ex-vrouw, want geld voor zijn dochters kon er nog steeds niet vanaf. En dus werd er weer een arrestatiebevel tegen hem uitgevaardigd. Tegenover de twee dochters van zijn nieuwe vriendin wilde hij wel graag een goede indruk maken. Voor hen kocht hij begin 2008 twee Toyota-jeeps – met de zoveelste ongedekte cheque. En daar ging Roscoe Tanner weer. Een groot tenniskampioen, voor de zoveelste keer naar de gevangenis.

GOTTFRIED VON CRAMM

BIJNAAM **THE TENNIS BARON**

GEBOORTEDATUM **7 JULI 1909**

OVERLEDEN **8 NOVEMBER 1976**

GEBOORTEPLAATS **NETTLINGEN, DUITSLAND**

WOONPLAATS **ALFELD, DUITSLAND**

PROFDEBUUT **1932**

GESTOPT **1953**

HOOGSTE POSITIE **2**

GOTTFRIED VON CRAMM

- GRAND SLAMS **2**
- AUSTRALIAN OPEN **-**
- ROLAND GARROS **1934** **1936**
- WIMBLEDON **-**
- US OPEN **-**
- ATP-ZEGES **16**

Hoewel ik in mijn jeugd dagelijks met tennis bezig was en mijn vader mij tijdens onze lange autoritten naar toernooien en trainingen allerlei verhalen vertelde over de legendarische mannen van de sport, had ik nog nooit iets gehoord over Gottfried von Cramm, de tennisbaron. Datzelfde gold blijkbaar voor Boris Becker. Toen hij op zeventienjarige leeftijd voor het eerst Wimbledon won, vertelde hij enthousiast wat een opsteker dit zou zijn voor de tennissport in zijn vaderland, want 'in Duitsland hebben we nog nooit een tennisidool gehad'. Het wrange was dat Boris deze uitspraak deed op 7 juli 1985, de dag waarop Von Cramm 76 jaar zou zijn geworden, als hij niet een aantal jaar eerder bij een auto-ongeluk om het leven was gekomen.

Maar wie was dan deze eerste Duitse tennisheld? En waarom is hij niet in het collectieve tennisgeheugen opgenomen, zoals zijn tijdgenoten Fred Perry en Don Budge? Gottfried von Cramm had vooral de pech dat de meest succesvolle jaren van zijn carrière zich afspeelden tijdens de opkomst van Adolf Hitler en het uitbreken van de Tweede Wereldoorlog. De blonde, charismatische tennisser werd door de nazi's gezien als het ideale uithangbord voor hun arische superioriteitswaan, maar Von Cramm wilde zich absoluut niet voor hun propaganda lenen. De zachtaardige en beschaafde Gottffried kwam uit een adellijke familie en was heimelijk homoseksueel; iets wat in die tijd niet werd geaccepteerd. Hij trouwde met een jonge barones en begon op zijn 23ste aan een succesvolle tenniscarrière.

Gottfried von Cramm werd in 1932 voor het eerst nationaal kampioen, een prestatie die hij daarna nog driemaal zou herhalen. In 1934 won hij zijn eerste French Open, en vanaf dat moment hadden de nazi's hem in het vizier. De atletische Von Cramm kon ook op gras goed uit de voeten, al bleef de Wimbledon-titel steeds nét buiten zijn bereik. In 1935 en 1936 verloor hij in de finale van Fred Perry, en in 1937 moest hij buigen voor Don Budge. Dat jaar zette Don Budge hem ook in de finale van de US Open de voet dwars. Hoewel Von Cramm in 1936 voor de tweede maal het French Open had weten te winnen (in vijf zinderende sets tegen Fred Perry), werd het hem in 1937 door de Duitse regering verboden om zijn titel te verdedigen. De nazi's waren geïrriteerd dat de tennisbaron zich openlijk distantieerde van Hitlers regime en hadden hem de wacht aangezegd. Hij mocht die zomer echter wél aantreden in de halve finale van de Davis Cup tegen Amerika. Gottfried von Cramm was een Davis Cup-speler in hart en nieren; hij is nog steeds de Duitse recordhouder van de meest gespeelde wedstrijden. Zijn partij tegen Don Budge op 20 juli 1937, aan de vooravond van de Tweede Wereldoorlog, zou uitdraaien op een van de meest beladen tenniswedstrijden aller tijden.

Gottfried en Don waren goede vrienden; ze respecteerden elkaar en waren sportief zeer aan elkaar gewaagd. Don Budge zou later zeggen dat de tennisbaron zo veel charisma had, dat hij 'iedere ruimte waar hij kwam domineerde met zijn uitstraling'. Toch is Don Budge uitgegroeid tot een van de spelers die altijd genoemd worden in het rijtje 'beste tennissers aller tijden', terwijl Von Cramm zelfs bij zijn landgenoten lange tijd in de vergetelheid is geraakt. Maar baron Von Cramm had de tijd niet mee. Zijn sportieve successen werden altijd overschaduwd door politieke druk vanuit Duitsland. Zo ook tijdens de Davis Cup, getuige het verslag van Don Budge. De Amerikaan was in 1937 de nummer één van de wereld, maar de knappe Von Cramm werd alom beschouwd als de populairste speler van dat moment. Het werd een ongelooflijk spannende vijfsetter en de tennisbaron stond 4-1 vóór in de vijfde, toen Don Budge een meesterlijke comeback forceerde en uiteindelijk met 8-6 won. De radio deed live verslag van deze historische wedstrijd en op de site van het Authentic History Center kun je nog steeds horen hoe Don Budge na de partij ademloos vertelt over het telefoontje dat Von Cramm kort voor de wedstrijd kreeg.

Terwijl beide heren eigenlijk al op het Centre Court van Wimbledon werden verwacht, moest Gottfried eerst nog Adolf Hitler te woord staan. Hitler wilde Von Cramm nog even duidelijk maken wat er allemaal op het spel stond, en Don Budge hoorde de baron enkele malen bedremmeld '*Jawohl, mein Führer*' mompelen. De sfeer was daarna behoorlijk gespannen, herinnerde Don Budge zich, en Von Cramm had 'elk punt gespeeld alsof zijn leven ervan afhing'. Dat was waarschijnlijk ook zo, want na het verlies in de Davis Cup was de Duitse regering op zijn zachtst gezegd not amused. Ondanks zijn enorme populariteit werd Gottfried von Cramm in 1938 gearresteerd en voor de rechter gedaagd. Zijn vergrijp? De homoseksuele relatie die hij een aantal jaren zou hebben onderhouden met een joodse acteur. Tot verbijstering van zijn tennisvrienden werd hij veroordeeld tot een jaar gevangenisstraf. Don Budge schreef een protestbrief aan Hitler en liet die ondertekenen door vele internationale sportsterren. Uiteindelijk werd Von Cramm 'wegens goed gedrag' na zeven maanden weer vrijgelaten.

Maar er stond hem nog een koude douche te wachten. Nadat hij in 1939 een succesvolle comeback had gemaakt met het winnen van het grastoernooi van Queens, bleek hij niet te mogen aantreden op Wimbledon. De organisatie stelde zich doodleuk op het standpunt dat hij een veroordeelde misdadiger was, hetgeen kort daarna schielijk werd veranderd in: 'De heer Von Cramm heeft verzuimd zich in te schrijven.' Deze dubieuze gang van zaken werd een maand later nog eens herhaald toen Von Cramm om dezelfde redenen geen visum kreeg om deel te nemen aan de US Open. Toen hij zich in 1940 onder dwang van de Duitse regering ook nog moest terugtrekken uit het toernooi van Rome (ze vreesden dat hij beter zou zijn dan de andere drie Duitse tennissers, die wel nazisympathieën hadden), leek het of de carrière van de tennisbaron een dieptepunt had bereikt. Vervolgens werd hij ook nog opgeroepen om aan het Russische front te gaan vechten; ik vermoed dat de Duitse regering nu écht van hem af wilde. Von Cramm raakte inderdaad gewond, maar hij wist de oorlog en het nazisme te overleven. In 1948 en 1949 won hij – inmiddels veertig jaar oud – wederom de nationale kampioenschappen en werd tweemaal op rij gekozen tot Sporter van het Jaar. Toen Duitsland in 1951 weer werd toegelaten tot de strijd om de Davis Cup, bedacht de baron zich geen moment en was hij nog vele ontmoetingen van de partij.

Von Cramm heeft later steevast ontkend dat hij een telefoontje van Hitler heeft gekregen, maar ik denk dat hij na de oorlog op geen enkele manier met deze man geassocieerd wilde worden. Terwijl het Duitse tennis in 1951 een doorstart maakte, nam ook het leven van Gottfried von Cramm een nieuwe wending: hij begon met Von Cramm & Co., een textielbedrijf dat tot op de dag van vandaag succesvol is. De baron bleef nauw bij de Duitse tennisbond betrokken en reisde als katoenimporteur over de hele wereld. Zijn zakenpartners bevonden zich vooral in Egypte, Ethiopië en Soedan, en op een van zijn zakenreizen kreeg Gottfried von Cramm in 1976 in de buurt van Caïro een dodelijk auto-ongeluk. Zo kwam er een tragisch einde aan het bewogen leven van de tennisbaron, een man die op de verkeerde plek in de verkeerde tijd werd geboren, maar die door zijn onverwoestbare karakter en zijn liefde voor het tennis steeds weer een nieuwe invulling aan zijn leven wist te geven.

DON BUDGE OVER HET TENNIS VAN GOTTFRIED VON CRAMM:

'Hij speelde mooi tennis, benijdenswaardig mooi tennis, en dat was voor hem belangrijker dan de winst.'

ARTHUR DAVID LARSEN

BIJNAAM **TAPPY**
GEBOORTEDATUM **17 APRIL 1925**
GEBOORTEPLAATS **HAYWARD, CALIFORNIË, VS**
WOONPLAATS **CALIFORNIË, VS**
LENGTE **1,78 M**
GEWICHT **68 KG**
PROFDEBUUT **1949**
GESTOPT **1956**
HOOGSTE POSITIE **3**

ARTHUR DAVID LARSEN

- GRAND SLAMS • **1** •
- AUSTRALIAN OPEN • **-** •
- ROLAND GARROS • **-** •
- WIMBLEDON • **-** •
- US OPEN • **1950** •
- ATP-ZEGES • **16** •

Waar de tenniscarrière van Gottfried von Cramm werd geknakt door de Tweede Wereldoorlog, werd die van Arthur Larsen er juist door geboren. Als jongeman had hij drie jaar in het leger gediend en de even bloedige als legendarische 'landing' op Omaha Beach in Normandië meegemaakt. Indien je de indrukwekkende openingsscène van *Saving Private Ryan* hebt gezien, zal het je niet verbazen dat de jonge Art Larsen na de oorlog getraumatiseerd terugkeerde naar huis. Wonder boven wonder was hijzelf ongedeerd gebleven, maar behalve het spervuur van de Duitsers was zijn eenheid per ongeluk ook gebombardeerd door de Amerikaanse luchtmacht, waardoor de meesten van zijn kameraden D-Day niet hadden overleefd. Terug in Amerika adviseerde zijn huisarts dat hij misschien eens moest gaan tennissen. 'Na de oorlog was ik ongelooflijk nerveus en gestrest,' zou hij daar later zelf over zeggen. 'Het enige wat mij nog een beetje kon kalmeren, was beweging in de buitenlucht.' Maar hoewel hij dus alleen maar was begonnen met tennissen als een vorm van therapie, bleek al snel dat hij er bijzonder veel aanleg voor had.

Tijdens zijn studie aan de Universiteit van San Francisco, werd hij in 1949 lid van het NCAA Men's Tennis Championship Team. Dat team was hij al snel ontgroeid, en hij werd de eerste Amerikaan die alle nationale amateurkampioenschappen wist te winnen op de vier verschillende ondergronden van die tijd: gras, gravel, hardcourt en indoor. Maar Larsen speelde zich niet alleen in de kijker met zijn vele overwinningen; hij kreeg ook grote bekendheid door zijn excentrieke gedrag. Zo was hij door de oorlog bijzonder bijgelovig geworden. Hij kon geen enkel voorwerp (zelfs geen netpaal) voorbijlopen zonder er drie keer op te tikken voor geluk – vandaar zijn bijnaam 'Tappy'. Nu zijn wel meer tennissers bijgelovig. Rafael Nadal zet zijn spulletjes altijd op exact dezelfde manier rond zijn stoel, en Goran Ivanišević wilde altijd met díe bal serveren, waarmee hij net een punt had gewonnen. Er zijn ook maar weinig spelers die op de lijnen durven te gaan staan. Waarom? Geen idee. Zelf doe ik het ook liever niet. Maar in het geval van Tappy Larsen kunnen we gerust spreken van een flink aantal dwangneuroses. Noem een bijgeloof, en hij had het. Zijn angst om te sterven in de oorlog had hij vertaald naar de angst om te verliezen. Tijdens wedstrijden gebruikte hij allerlei bezweringen en praatte geregeld met een denkbeeldige vogel op zijn schouder. Wanneer er vogels overvlogen, hield hij op met spelen om naar ze te lachen en te zwaaien. De getraumatiseerde ex-soldaat probeerde zijn gevoelens ook letterlijk weg te drinken door van het ene feestje naar het andere te rollen. Hij stond erom bekend dat hij 's ochtends regelrecht uit de kroeg naar de tennisbaan kwam lopen.

Wanneer Tappy speeches moest houden, lag iedereen altijd onder de tafel van het lachen, want de buitenissige Amerikaan kon ongelooflijk geestig uit de hoek komen. En hij kon goed tennissen, al werd dat door zijn theatrale gedrag nog weleens vergeten. In 1950 won hij zowaar de US Open, en in 1954 zou hij nogmaals de finale halen. Larsen bereikte in 1954 ook de finale van het French Open, en ondanks al zijn uitspattingen en nerveuze tics stoomde hij door naar de derde plaats op de wereldranglijst. In 1955 won hij nog de gouden medaille op de Pan American Games in Mexico City, maar in 1956 sloeg het noodlot toe. Hij was ontzettend trots op de prachtige Italiaanse motor die hij had gewonnen tijdens een toernooi. Maar niet lang daarna gleed hij met deze motor onderuit, waardoor hij gedeeltelijk verlamd raakte en aan één oog blind werd. Daarmee was de tenniscarrière van Arthur Tappy Larsen, op dat moment nog achtste op de wereldranglijst, in één klap voorbij. In 1969 werd hij opgenomen in de Tennis Hall of Fame en sindsdien komt zijn naam alleen nog sporadisch ter sprake in artikelen over bijgeloof bij proftennissers.

BILL TALBERT OVER HET TENNIS VAN ARTHUR LARSEN:

'Hij kon het publiek choqueren met zijn gedrag, ballenjongens uitschelden of juist charmant zijn, en allemaal in een tijdspanne van een paar uur. Zijn carrière eindigde zoals hij had geleefd: in *full speed*.'

SPALDING

MANSOUR BAHRAMI

BIJNAAM **THE MAN BEHIND THE MOUSTACHE, DE BALKUNSTENAAR**
GEBOORTEDATUM **26 APRIL 1956**
GEBOORTEPLAATS **ARAK, IRAN**
WOONPLAATS **PARIJS, FRANKRIJK**
LENGTE **1,78 M**
GEWICHT **82 KG**
PROFDEBUUT **1974**
GESTOPT **SINDS 1994 SPEELT HIJ IN HET SENIORENCIRCUIT**
GEWONNEN GELDBEDRAG **$ 368.780**
HOOGSTE POSITIE **192**

MANSOUR BAHRAMI

GRAND SLAMS ● - ●
AUSTRALIAN OPEN ● - ●
ROLAND GARROS ● - ●
WIMBLEDON ● - ●
US OPEN ● - ●
ATP-ZEGES ● - ●

n mijn autobiografie *Harde Ballen* heb ik de nwaarschijnlijke levensloop van Mansour ahrami al eens uitgebreid beschreven. Maar k vind zijn verhaal dermate inspirerend dat k het hier graag nog eens uit de doeken doe. Vant zonder ooit één grand slam te hebben ewonnen of zelfs maar in de top honderd te ebben gestaan, wist Mansour Bahrami uit te roeien tot een van de meest geliefde tennissers er wereld. Hij werd in 1956 geboren in Perzië, et huidige Iran. Zijn vader was tuinman van e koninklijke tennisbanen bij het nationale portcentrum in Teheran. Onder het bewind an de sjah van Perzië en keizerin Farah Diba peelde de elite graag een potje tennis. Voor de leine Mansour was het echter ten strengste erboden om een racket ter hand te nemen. Hij vas tenslotte 'slechts' de zoon van de tuinman n verdiende een paar centen als ballenjongen.

'Ik heb leren tennissen door jarenlang naar andere spelers te kijken,' vertelde hij me eens tijdens het diner van de Tennis Classics in Eindhoven. 'Thuis knutselde ik stiekem een tennisracket in elkaar van een houten steel en een ijzeren ring van een prullenbak. Toen dat kapotging, tenniste ik met een pan, een stuk hout of gewoon met mijn handpalm.' Op zijn dertiende verjaardag verraste Mansours vader hem met een oud tennisracket dat hij van iemand cadeau had gekregen. Maar toen Mansour het op een stille dag stiekem wilde uitproberen, werd hij betrapt door een van de clubleden. Hij werd tot bloedens toe in elkaar geslagen en zijn racket werd aan stukken getrapt.

Toch kon Bahrami het tennissen niet laten. Thuis zette hij opnieuw een doe-het-zelfracket in elkaar en bleef hij tegen muurtjes spelen. Niet veel later gebeurde het eerste wonder: een medewerker van de Perzische Tennis Bond zag Mansour toevallig spelen en nodigde hem uit om te komen trainen bij de Bond. Vanwege zijn onmiskenbare talent en onverzettelijk karakter werd hij opgenomen in de Davis Cup-selectie van Perzië en speelde hij enkele jaren met veel plezier voor zijn land. In 1978 werd de sjah echter verdreven door ayatollah Khomeini, en Perzië werd omgedoopt tot Iran. Daarmee veranderde het hele openbare leven. ‘Er werd ons verteld dat tennis een imperialistische en kapitalistische sport was en per direct werd verboden,’ blikt Mansour terug. ‘Mijn wereld stortte in. Ik had geen baan. Niemand durfde met mij te spelen. Als we gepakt werden, hadden we waarschijnlijk de kogel gekregen.’

Via via ritselde Mansour een visum voor Frankrijk en in augustus 1980 belandde hij in Nice met maar een paar centen op zak. Bahrami sliep onder bruggen en hield zich in leven met nootjes die uit de bomen vielen. Maar op een dag gebeurde er een tweede wonder. Terwijl hij vervuild op straat zat, werd hij herkend door een Iraanse tennisliefhebber. ‘Maar,’ zei de man, ‘ben jij niet Mansour Bahrami, de Davis Cup-speler?’ ‘Ja, dat ben ik,’ antwoordd Bahrami enigszins beschaamd. De man pakt daarop zijn hand en trok hem letterlijk en figuurlijk uit de shit.

Hij introduceerde Mansour Bahrami in d Franse tenniswereld en zorgde ervoor dat hi een paar toernooien kon spelen. Omdat hi een inkomen nodig had, werd Bahrami tennisleraar op de Villepinte Tennis Club, onder d rook van Parijs. Tot zijn eigen verbazing kwalificeerde hij zich in 1981 voor Roland Garros In de eerste ronde versloeg hij een van de toenmalige Franse topspelers, Jean-Louis Hallet, i straight sets. De media-aandacht die dat ople verde, leidde uiteindelijk tot een tijdelijke verblijfsvergunning. In 1986 kreeg Mansour eindelijk een Frans paspoort en kon hij zijn droom gaan waarmaken: spelen in de ATP Tour. Maa inmiddels was hij dertig jaar en waren de best tennisjaren van zijn leven voorbij.

Zijn beste prestatie kwam in 1989 toen hi samen met Eric Winogradski de finale haald op Roland Garros. Een grandslamtitel zou een prachtig einde zijn geweest van zijn bitterzoet tennissprookje, maar het mocht niet zo zijn Mansour Bahrami beleefde echter een wedergeboorte op de Senior’s tour. De Iranees ston inmiddels wijd en zijd bekend om zijn kolderieke manier van tennissen en de voortduren de grapjes die hij uithaalde met zichzelf, het publiek en zijn tegenstander. Inmiddels is de clowneske Bahrami overal ter wereld een graag geziene gast.

Toen ik vorig jaar op de Tennis Classics in Eindhoven met hem een dubbeldemonstratie mocht geven, heb ik weer eens van dichtbij kunnen zien wat Bahrami allemaal met een bal kan. Hij brengt het heel grappig, maar het vergt bijzonder veel techniek. Zo slaat hij de raarste spinballen, kan een lob in zijn broekzak opvangen en houdt zes ballen in zijn hand terwijl hij serveert. Ook kan hij net doen alsof hij mist, om zich dan toch nog om te draaien en de bal te slaan, of tussen zijn eigen benen door te spelen. ‘Vroeger werden spelers weleens kwaad als ik van die gekke spinballen sloeg,’ vertelt Bahrami. ‘Ze vonden dan dat ik geen enkel respect toonde. Maar daar was geen sprake van: ik heb nooit les gehad en toen ik jong was probeerden we gewoon van alles uit. Er was geen coach die zei dat we ermee moesten stoppen.’

Ik ben blij dat de goedmoedige Mansour zijn plek in de wereld gevonden heeft. Hij is nog steeds zo’n veertig weken per jaar onderweg om tennisfans over de hele wereld met zijn kunsten te vermaken. Ook zet hij zich in voor allerlei projecten die kinderen de kans geven om hun dromen waar te maken. ‘Ik ben een showbink,’ geeft hij toe. ‘Misschien mag ik het niet zeggen, maar ik geef nu eenmaal graag een voorstelling. Ik vind het leuk om mensen aan het lachen te maken en ze te entertainen. Winnen is nu minder belangrijk. De mensen vermaken, daar gaat het mij om.’

MANSOUR BAHRAMI OVER TENNIS:

‘Wie weet hoe ver ik was gekomen als ik op mijn twintigste in de Tour was begonnen. Ik heb de tien belangrijkste tennisjaren gemist. Ik heb nooit de kans gekregen om me werkelijk te bewijzen. Daar probeer ik maar niet te veel aan te denken. Ik ben een bevoorrecht mens dat ik nu alsnog tegen toppers als Borg, Connors en McEnroe mag spelen.’

GORAN IVANIŠEVIĆ

BIJNAAM **ACE MAN, CRAZY GORAN**
GEBOORTEDATUM **13 SEPTEMBER 1971**
GEBOORTEPLAATS **SPLIT, KROATIË**
WOONPLAATS **MONTE CARLO, MONACO**
LENGTE **1,93 M**
GEWICHT **86 KG**
PROFDEBUUT **1988**
GESTOPT **2004**
GEWONNEN GELDBEDRAG **$ 19.876.579**
HOOGSTE POSITIE **2**

GORAN IVANIŠEVIĆ

IVANIŠEVIĆ - KRAJICEK: 9-3

GRAND SLAMS • **1** •
AUSTRALIAN OPEN • **-** •
ROLAND GARROS • **-** •
WIMBLEDON • **2001** •
US OPEN • **-** •
ATP-ZEGES • **22** •

Er zijn wel meer licht ontvlambare tennissers geweest, maar slechts weinigen konden zó uit hun dak gaan als Goran Ivanišević. Ik ken hem al uit het jeugdcircuit, waar hij als supertalentje berucht was om zijn woede-uitbarstingen. Zijn Kroatische ouders hadden het niet breed, en na lang sparen had vader Srdjan twee houten rackets voor de kleine Goran gekocht. Maar binnen een halfuur had de zesjarige dondersteen ze al aan stukken geslagen – iets wat hem op een grote draai om zijn oren kwam te staan. Gedurende zijn tenniscarrière zou Crazy Goran nog honderden rackets breken. Op het tennistoernooi van Brighton in 2000 moest hij zelfs stoppen omdat hij al zijn rackets doormidden had getrapt. Maar ondanks (of misschien wel dankzij) zijn wispelturige karakter had Goran altijd de lachers op zijn hand. Zijn bizarre gedrag op de baan en de oneliners na afloop waren legendarisch. Hij speelde maar liefst 48 finales in het enkelspel, waarvan hij er 21 won, en hij bivakkeerde jarenlang in de toptien, met als hoogste ranking nummer twee. Goran had zeker de nummer één van de wereld kunnen worden als Pete Sampras niet zo onwrikbaar bovenaan had gestaan. 'Dat was heel jammer,' beaamde Goran laatst, 'maar wat moest ik doen? Hem neerschieten?' Ivanišević stond jarenlang bekend als 'de beste tennisser die nooit een grand slam won'. Hij kreeg op cruciale momenten te vaak de kolder in de kop. 'Mijn probleem is dat ik in een wedstrijd vijf vijanden heb,' zei hij daar zelf over. 'De umpire, het publiek, de ballenjongens, de baan en ikzelf. Geen wonder dat ik weleens afdwaal.'

En niemand kon zo excentriek afdwalen als Goran Ivanišević. Toen hij tijdens de US Open van 2000 in de eerste ronde werd gedeklasseerd door Dominik Hrbatý, kuste Goran na afloop zijn rackets en deelde ze een voor een uit aan het publiek. Ivanišević was intens geliefd omdat je al zijn emoties van zijn gezicht kon aflezen, waardoor je wel met hem mee moest voelen. En hij was natuurlijk een zeer begaafde tennisser. Al zijn slagen waren van topkwaliteit, maar de meeste mensen herinneren zich vooral zijn service. In 1996 sloeg Ace Man maar liefst 957 aces in 72 partijen – voor elke ace doneerde hij overigens 50 dollar aan zijn Kroatische stichting Children in Need. Pete Sampras was tweede met 764 aces uit 78 wedstrijden en ik kwam op de derde plaats met 733 aces uit 68 wedstrijden.

Op Discovery Channel zag ik eens een programma waarin een bewegingswetenschapper verklaarde dat Goran en ik de ideale servicebeweging maakten: technisch perfect en optimaal effectief. Onze onderlinge wedstrijden eindigden dan ook meestal in een zenuwslopende tiebreak, die Goran tot mijn grote ergernis vaak won. Mijn meest pijnlijke verlies was de langste halve finale uit de geschiedenis van Wimbledon, toen ik in 1998 met 15-13 in de vijfde set van Crazy Goran verloor. Het was daarom des te leuker dat ik hem in 2008 in de finale van de Tennis Classics in Eindhoven eindelijk weer eens wist te verslaan. Het was mijn eerste seniorentitel en mijn kinderen stuiterden bijna van de tribune. Eerlijk gezegd ben ik zelden blijer geweest met een overwinning.

De enige titel die Goran ooit écht heeft willen winnen, was Wimbledon. Door mij te verslaan bereikte hij voor de derde keer de finale van Wimbledon, en wéér lukte het niet. Na afloop stond hij huilend op de baan en tijdens de persconferentie snikte hij dat hij overweegde om zelfmoord te plegen. Vanaf dat moment ging het helemaal mis met Ivanišević. Hij kreeg last van zijn schouder en van zijn rug, maar bovenal van de demonen in zijn hoofd. In het jaar 2000 werd hij al in de eerste ronde uit Wimbledon gekegeld. Hij verdween in de anonimiteit en iedereen dacht dat hij met pensioen was. Tot de directie van Wimbledon hem in 2001 uit respect voor zijn prestaties een wildcard gaf. Het was bedoeld als een soort afscheidscadeautje voor de nummer 125 van de wereld, maar dat pakte heel anders uit. Toen Goran op de eerste dag door de poort liep, scheen er een zonnestraal op zijn gezicht. De diepgelovige Kroaat zag het als een teken van God: dit zou zijn jaar worden! Vergeten was zijn pijnlijke schouder, vergeten was het feit dat hij het hele jaar nog geen pot had gewonnen; hij speelde met het onwrikbare geloof dat God hem dit jaar de overwinning gunde. Daar kwam nog bij dat hij naar eigen zeggen een derde persoon in zichzelf had ontdekt. Naast de 'Goede Goran' en de

Gekke Goran' beschikte hij nu ook over 'Emergency 911 Goran', die in geval van nood kwam ingrijpen in zijn bovenkamer.

In de eerste ronde won hij van de relatief onbekende Fredrik Jonsson. Daarna volgde een onvoorstelbare reeks van partijen tegen Carlos Moyà, Andy Roddick, Greg Rusedski, Marat Safin en Tim Henman. En wéér stond de emotionele Kroaat in de finale. Zijn vader Srdjan, inmiddels zwaar hartpatiënt, zat met extra pilletjes in de spelersbox. Zijn moeder Gorana kon thuis de spanning niet meer aan en ging op bed liggen.

Goran speelde zijn vierde Wimbledon-finale tegen de immens populaire Patrick Rafter, óók een schouderpatiënt en óók verliezend finalist (in 2000) tegen Pete Sampras. Het publiek wilde eigenlijk geen partij kiezen, maar het was moeilijk om zich niet achter Gekke Goran te scharen. Het werd een geweldige, meeslepende thriller, die pas eindigde bij 9-7 in de vijfde set. Goran kreeg matchpoint na matchpoint, maar wist het winnende punt telkens niet te maken. Toen hij eindelijk had gewonnen, viel hij huilend op het gras. Nadat hij door de immer sportieve Patrick Rafter langdurig was omhelsd – '*You can't beat God*,' zei Patrick later – klom Goran naar zijn snikkende vader Srdjan in de spelersbox.

Door zijn overwinning werd Goran een ware volksheld. Maar liefst 200.000 uitzinnige Kroaten stonden bij thuiskomst op hem te wachten.

GORAN IVANIŠEVIĆ OVER TENNIS:

'Ik breek nog steeds rackets, maar ik doe het nu op een positieve manier.

Hij tatoeëerde WIMBLEDON CHAMPION 2001 op zijn lijf, maar twee jaar lang kreeg hij niet meer de kans om zijn titel te verdedigen. Zijn schouder begaf het definitief en ook een operatie mocht niet meer baten. Aan *Tennis Magazine* vertelde hij hoe dat kwam: 'Vóór Wimbledon 2001 zei ik tegen God: "Schenk mij de titel en ik hoef van mijn leven nooit meer te tennissen." Dat is gebeurd. Ik weet niet of ik door mijn schouder- en elleboogproblemen ooit nog kan spelen. Je kunt niet onderhandelen met God. Hij heeft me iets gegeven wat ik mijn hele leven heb gewild en daar heeft hij wat voor teruggenomen. Toch ga ik straks terug naar Wimbledon. Al is het in een rolstoel, spelen zal ik.'

En dat heeft hij gedaan. In 2004 kwam hij nog eenmaal naar Londen, waarbij Lleyton Hewitt in de derde ronde de ondankbare taak kreeg om hem naar zijn pensioen te slaan. Toen hij zijn eerste matchpoint tegen kreeg, sloot Goran een paar seconden zijn ogen. Nadat hij had verloren, trok Goran onder ovationeel applaus een Kroatisch voetbalshirt aan en verliet als een groot kampioen het Centre Court.

ellesse

ILIE NĂSTASE

BIJNAAM **BUCHAREST BUFFOON**

GEBOORTEDATUM **19 JULI 1946**

GEBOORTEPLAATS **BOEKAREST, ROEMENIË**

WOONPLAATS **NEW YORK, VS**

LENGTE **1,82 M**

GEWICHT **77 KG**

PROFDEBUUT **1966**

GESTOPT **1985**

GEWONNEN GELDBEDRAG **$ 2.076.761**

HOOGSTE POSITIE **1**

ILIE NĂSTASE

- GRAND SLAMS • **2** •
- AUSTRALIAN OPEN • **-** •
- ROLAND GARROS • **1973** •
- WIMBLEDON • **-** •
- US OPEN • **1972** •
- ATP-ZEGES • **57** •

Ilie Năstase kreeg als een van de allereerste sporters een 'eigen' schoen, de Adidas Năstase. Dat vind ik eigenlijk wel passend, want de knotsgekke Roemeen was echt een halve zool. Hij haalde de raarste dingen uit op de baan: trok gekke bekken, zette tegenstanders voor schut, rolde over het veld, gedroeg zich als een clown, ging met iedereen in discussie, liep geregeld van het veld af en was altijd in voor een lolletje. Dit resulteerde in een eindeloze reeks boetes, diskwalificaties, schorsingen en waarschuwingen. Maar het publiek was dol op de maffe tennisser, die heel goed wist wat zijn rol was: 'Ze willen circus, ze krijgen circus.'

Ik weet niet precies wat er 'mis' was met Năstase; misschien dat je tegenwoordig zou zeggen dat hij ADHD had. Maar één ding was zeker: zodra Ilie het kon opbrengen om zich langere tijd te concentreren, bleek hij een fantastische tennisser. De eerste die dat zag, was landgenoot Ion Tiriac, die later beroemd zou worden als toernooidirecteur en manager van Boris Becker. De potige Tiriac, die volgens de pers op Dracula leek, wist het beste in Năstase naar boven te halen. Ze wonnen niet alleen veel belangrijke Davis Cup-dubbels, maar haalden ook de dubbelfinale van het French Open.

Toch had ook Tiriac soms moeite met het baldadige gedrag van Ilie. Hij probeerde hem te coachen, maar dat was een ondankbare taak. 'Ik voel me als een hondentrainer,' heeft Tiriac eens gezegd, 'die zijn hond goede

manieren en de juiste zeden probeert aan te leren. En net wanneer ik denk: die hond heeft nu door hoe hij zich moet gedragen, pist-ie weer op het tapijt en is alle moeite voor niks geweest.'

Năstase bereikte twee keer de finale van Wimbledon, en vooral de eerste keer in 1972 tegen Stan Smith was pijnlijk: hij sneuvelde na een weergaloze wedstrijd met 7-5 in de vijfde set. In 1976 haalde hij nogmaals de finale, maar werd kansloos afgedroogd door Björn Borg. In 1972 won hij wél de US Open, en in 1973 Roland Garros. Toen in 1972 de ATP werd opgericht en deze nieuwe spelersvakbond met een moderne, officiële ranking kwam, was Ilie Năstase de allereerste nummer één. Maar ondanks al zijn tennissuccessen zal de prettig gestoorde Roemeen toch vooral herinnerd worden om zijn hilarische optredens in televisieshows, zijn wonderlijke gedrag op de baan en zijn geestige uitspraken: 'Mijn creditcard is gestolen, maar ik heb geen aangifte gedaan. Wie die kaart gestolen heeft, geeft gegarandeerd minder geld uit dan mijn vrouw.'

Na zijn tenniscarrière was Năstase onder meer captain van het Roemeense Davis Cupteam en president van de Roemeense tennisfederatie. Internationaal trok hij opnieuw de aandacht toen hij in 1996 een gooi deed naar het burgemeesterschap van Boekaraest. Hij werd echter niet gekozen. Tiriac: 'Waarschijnlijk een goede zaak voor hem én voor Boekarest.'

ILIE NĂSTASE OVER TENNIS:

'Tegenwoordig speelt iedereen hetzelfde, erg saai. Het is jammer dat er niet meer spelers zijn zoals John McEnroe, Jimmy Connors of, misschien, Ilie Năstase.'

PATRICK RAFTER

BIJNAAM **PAT**

GEBOORTEDATUM **28 DECEMBER 1972**

GEBOORTEPLAATS **MOUNT ISA, QUEENSLAND, AUSTRALIË**

WOONPLAATS **PEMBROKE, BERMUDA**

LENGTE **1,85 M**

GEWICHT **82 KG**

PROFDEBUUT **1991**

GESTOPT **2002**

GEWONNEN GELDBEDRAG **$ 11.127.058**

HOOGSTE POSITIE **1**

PATRICK RAFTER

RAFTER - KRAJICEK: 2-7

- GRAND SLAMS • 2 •
- AUSTRALIAN OPEN • - •
- ROLAND GARROS • - •
- WIMBLEDON • - •
- US OPEN • 1997 • 1998 •
- ATP-ZEGES • 11 •

Hoewel ik een prima balans heb tegen Patrick Rafter, vond ik het nooit makkelijk om tegen hem te spelen. Er zijn maar weinig tennissers geweest die beter konden volleren dan deze sympathieke Australiër. Hij was ook ongelooflijk fit en bleef maar rennen, waardoor je als tegenstander het gevoel had dat je alles uit de kast moest halen. Patrick heeft welgeteld één week boven aan de wereldranglijst gestaan en door zijn slepende schouderblessure heeft hij een relatief korte carrière gehad, maar toch wil ik hem graag opnemen in de lijst van meest markante tennissers. Hij was in elk geval een van de meest geliefde tennissers, omdat hij altijd charmant, vriendelijk en bescheiden is gebleven. En hij was royaal.

Patrick was de zevende van negen kinderen, en thuis hadden ze het niet breed. Desondanks zag hij zijn gelovige vader iedere zondag geld in de collectebus van de kerk doen, en dat beeld is hem altijd bijgebleven. Patrick vertelde later dat hij als kind geregeld aan God had gevraagd of hij een grand slam mocht winnen, en dat hij daarbij de afspraak had gemaakt dat hij het prijzengeld aan een goed doel zou geven. Nadat hij in 1997 inderdaad de US Open won, betrad landgenoot en tennislegende John Newcombe het centercourt, om een interview te doen voor een Australische tv-zender. Rafter klampte hem meteen aan: 'Newk, ik heb vroeger al gezegd dat als ik ooit een grand slam zou winnen, ik alles aan een goed doel zou geven.' Maar Newcombe zei: 'Nou, doe even rustig, je hebt net één toernooi gewonnen en misschien moet je ook wat geld voor jezelf opzijzetten. Laten we een deel weggeven.' En dat is wat Patrick heeft gedaan. Hij gaf de helft aan de Starlight Foundation, en richtte later zijn eigen stichting op: Cherish the Children.

Maar na zijn eerste overwinning was zijn goedgevigheid niet voorbij. Toen hij bij het toernooi van Lyon door zijn status als US Open-kampioen veel startgeld had gekregen maar in de eerste ronde verloor, schaamde hij zich zo dat hij het startgeld weer teruggaf. Beroemd is ook het voorval op een toernooi in Adelaide, waar hij op een cruciaal moment in de wedstrijd een punt teruggaf aan zijn tegenstander. Daardoor verloor hij die pot, maar werd hij wel gezien als de ultieme 'Mr. Nice Guy'.

Vanaf dat moment won Rafter de ene na de andere prijs: de aardigste speler, de sportiefste speler, de knapste speler, de speler die het meest aan liefdadigheid deed. Daar geneerde hij zich soms een beetje voor, want niets menselijks was hem vreemd. Zo lag hij geregeld overhoop met landgenoot Mark Philipoussis en beroepszeur Jeff Tarango. Maar ook met de doorgaans zo beschaafde Pete Sampras, die het lange tijd niet kon verdragen dat Rafter hem zijn US Open-titel had ontnomen. Toen de pers aan Sampras vroeg wat het verschil was tussen hem en Patrick Rafter (destijds de nummer twee van de wereld), zei de Amerikaan neerbuigend: 'Tien grand slams.' Steeds wanneer Rafter een partij won van Sampras, claimde de laatste bijzondere omstandigheden, zoals pijn aan zijn knie. Harde woorden vielen over en weer, en de pers stookte het vuurtje tussen de twee nog verder op. Totdat Rafter op een dag de telefoon pakte en het uitpraatte met Sampras. 'Ik kan er niet tegen als iemand me niet aardig vindt,' verklaarde hij later. Grappig detail is wel dat Patrick belde en zei: '*Hi Pete it's Pat.*' En dat Sampras antwoordde: '*Pat who?*'

Rafter won nogmaals de US Open en bereikte ook nog twee keer de finale van Wimbledon. De eerste keer verloor hij van Sampras omdat hij – naar eigen zeggen – ongelooflijk nerveus was. In de jaren na zijn carrière bekende Rafter dat hij op belangrijke momenten eigenlijk altijd erg zenuwachtig was geweest, iets wat ik zelden aan hem heb gemerkt. Zo zie je maar weer dat je nooit in iemands hoofd kunt kijken. Zelfs de meest relaxed ogende Aussie kan heimelijk stijf staan van de stress. Patricks grootste domper was zijn verlies in de Wimbledon-finale van 2001, tegen Goran Ivanišević. Ondanks zijn berustende voorkomen en zijn welgemeende felicitaties aan Goran was hij vanbinnen kapot, zo erkende hij later: 'Ik was bitter, bitter teleurgesteld en gebroken. Tot het laatste punt dacht ik dat ik ging winnen. Ik ben een week binnengebleven na dat verlies. Ik wilde niemand zien en er al helemaal niet over praten.' Toen hij in 2002 werd gekozen tot Australiër van het Jaar, gaf zijn vader een korte speech die algemeen wordt beschouwd als een van de mooiste sporttoespraken ooit. Hij zei dat hij trots was op zijn zoon, de sporter, maar nog trotser op zijn zoon, de man. Omdat hij het kon opbrengen om zelfs na het meest pijnlijke verlies de arena met opgeheven hoofd te verlaten.

PATRICK RAFTER OVER TENNIS:

‘Als je naar het grote geheel kijkt, dan is tennis – en welke andere sport dan ook – maar een klein onderdeeltje van het leven. Het zou goed zijn als iedere atleet dat zou beseffen.’

YANNICK NOAH

BIJNAAM **TONTON YANNICK (UNCLE YANNICK)**

GEBOORTEDATUM **18 MEI 1960**

GEBOORTEPLAATS **SEDAN, FRANKRIJK**

WOONPLAATS **PARIJS, FRANKRIJK**

LENGTE **1.93 M**

GEWICHT **82 KG**

PROFDEBUUT **1977**

GESTOPT **1996**

GEWONNEN GELDBEDRAG **$ 3.440.660**

HOOGSTE POSITIE **3**

YANNICK NOAH

GRAND SLAMS ● 1 ●
AUSTRALIAN OPEN ● - ●
ROLAND GARROS ● 1983 ●
WIMBLEDON ● - ●
US OPEN ● - ●
ATP-ZEGES ● 23 ●

De charismatische Yannick Noah werd geboren in Frankrijk, maar verhuisde op zijn derde naar Kameroen, het geboorteland van zijn vader. Daar speelde hij op zijn elfde mee in een clinic van de zwarte Amerikaanse tennislegende Arthur Ashe, die een goodwilltour door Afrika hield. Ashe was onder de indruk van het ongepolijste talentje en bezorgde hem een plek op de prestigieuze tennisschool van de Franse Tennis Federatie in Nice. Daar trainde de jonge Yannick vijf jaar. In 1977 werd hij niet alleen kampioen bij de Franse junioren, maar won hij ook de juniorentitel op Wimbledon. Maar hoe succesvol hij ook leek, later zou blijken dat Noah soms heel verdrietig was in die tijd. Hij was alleen, had heimwee naar Kameroen en werd ondanks zijn overwinningen nauwelijks geaccepteerd als 'Franse' tennisser. In 1983 sloot het Franse publiek Yannick echter definitief in de armen toen hij niemand minder dan Mats Wilander versloeg in de finale van Roland Garros. Drie jaar later won hij het French Open opnieuw, ditmaal met dubbelpartner Henri Leconte.

Toch bleef Noah altijd een knagende onrust voelen. Vanbuiten leek hij een vrolijke, acrobatische tennisser; samen met Boris Becker had hij een van de meest spectaculaire snoekduiken aan het net die ooit zijn vertoond. Zijn dreadlocks, zijn gulle lach en de eindeloze rij knappe vrouwen aan zijn zijde deden vermoeden dat de zwarte tennisgod een gouden leven leidde. Maar vanbinnen was hij lange tijd zoekende naar de zin van zijn bestaan.

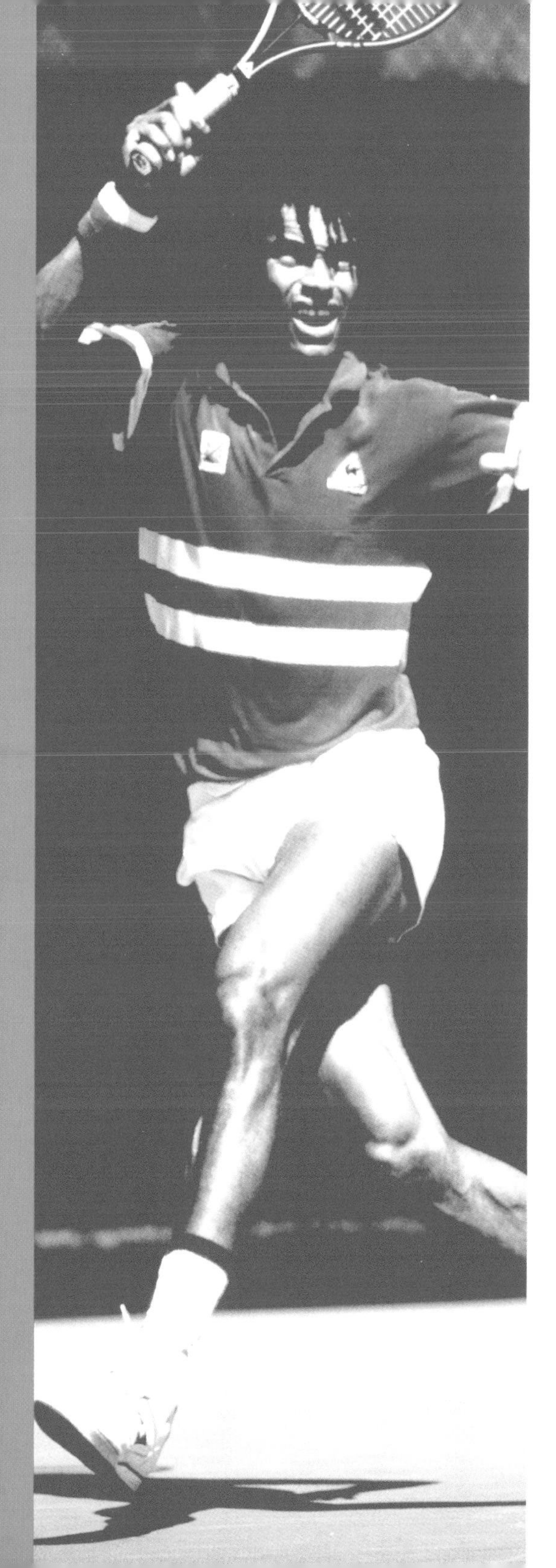

'Mijn geluk was afhankelijk van een bal in of uit,' zei hij later tegen *de Volkskrant*. 'Het belang van winnen wordt overgewaardeerd. Als je wint, ben je een held, maar als je verliest, laat iedereen je in de steek. Als je jong bent en altijd hard hebt getraind om de top te bereiken, ben je geneigd je gevoel van eigenwaarde te laten afhangen van winst of verlies. Dat is eng, dat is gevaarlijk. Ik ben geen beter mens dan mijn tegenstander, omdat ik per game twee punten meer maak.'

Yannick dacht dat het winnen van Roland Garros hem ongekend veel geluk zou brengen, maar toen die euforie uitbleef, voelde hij zich eenzamer dan ooit. Hij ging zich te buiten aan drank en drugs, en toen hij een keer op de brug over de Seine stond, overwoog hij zelfs zelfmoord. Hoewel hij nog jaren zou blijven spelen en 23 toernooien won, noemde hij het internationale tenniscircuit niet zelden een 'circus' en een 'verraderlijke verstikkende schijnwereld'. Toen hem eens gevraagd werd wat zijn sterke punt was, zei hij dan ook ongeïnteresseerd: 'Mijn mooie benen.' Hij voelde zich constant opgejaagd door pers en publiek, en verlangde terug naar de tijd dat hij in Kameroen gewoon voor de lol met zijn vriendjes een balletje sloeg.

Pas toen hij stopte met tennis, kon Yanick Noah naar eigen zeggen weer genieten van een lekkere training, een mooie bal of een gewonnen punt. Ook zijn vijf kinderen bleken een enorme bron van inspiratie. Noah kwam tot de conclusie dat een goede vader zijn veel belangrijker is dan een goede tennisser zijn: 'Je kind goed opvoeden is moeilijker dan een grand slam winnen.'

Hij begon aan zijn grote passie Fête Le Mur, een stichting die kinderen uit arme wijken door middel van tennis probeert te motiveren, en ontpopte zich tot een gedreven voorvechter van de mensenrechten. Hij zet zich sindsdien onvermoeibaar in voor vrede, tolerantie en solidariteit, en won diverse malen de titel van Meest Populaire Fransman. Ook begon hij aan een compleet nieuw leven als popartiest. Hoewel aanvankelijk niet veel mensen in zijn talent geloofden, is Noah nu al jarenlang een succesvolle popzanger in Frankrijk én Kameroen, en heeft hij al miljoenen albums verkocht.

Nadat Yannick Noah enige jaren afstand had genomen van de tennissport, durfde hij het uiteindelijk aan om Davis Cup-coach te worden: 'Ik geef mijn spelers het gevoel: wat er ook gebeurt, we zijn samen. Oók als ze verliezen, ben ik hun vriend. Dat klinkt eenvoudig, maar als je op de baan staat in een dolgedraaid stadion is dat juist waar je behoefte aan hebt.' Dat bleek een prima analyse, want hij won als captain de Davis Cup in 1991 en later nog eens in 1996. Ook met de Franse tennissters was hij succesvol: met Noah op de stoel wonnen zij de Fed Cup in 1997.

Vandaag de dag maakt Noah nog steeds muziek; hij reist voor diverse goede doelen over de wereld en geniet van zijn kinderen. Het lijkt erop dat het ontheemde kind uit Kameroen eindelijk zijn plekje in de wereld heeft gevonden.

YANNICK NOAH OVER TENNIS:

'Egoïsme is in sport een heel belangrijke eigenschap, bijna een voorwaarde voor succes, maar in het gewone leven een slechte gewoonte.'

JEAN RENÉ LACOSTE
BIJNAAM LE CROCODILE
GEBOORTEDATUM 2 JULI 1904
OVERLEDEN 12 OKTOBER 1996
GEBOORTEPLAATS PARIJS, FRANKRIJK
WOONPLAATS PARIJS, FRANKRIJK
PROFDEBUUT 1923
GESTOPT 1929
HOOGSTE POSITIE 1

JEAN RENÉ LACOSTE

- GRAND SLAMS **7**
- AUSTRALIAN OPEN **-**
- ROLAND GARROS **1925** **1927** **1929**
- WIMBLEDON **1925** **1928**
- US OPEN **1926** **1927**
- ATP-ZEGES **-**

De meeste mensen kennen de naam Lacoste alleen van de poloshirts, maar voor de Fransen is Jean René Lacoste een van de grootste tennishelden. René begon pas op zijn vijftiende met tennis, maar bleek uitzonderlijk getalenteerd. Zijn vader, een rijke auto- en staalfabrikant, zag een tenniscarrière aanvankelijk niet zitten, maar omdat René had aangetoond zeer gedisciplineerd met zijn sport om te gaan, kreeg hij op zijn negentiende toch toestemming om zich vijf jaar professioneel met tennis bezig te houden. Als hij binnen die vijf jaar geen wereldkampioen was geworden, zou hij ermee moeten stoppen.

Het lijkt me dat je de lat dan wel érg hoog legt voor je kind, maar de gedreven René Lacoste raakte er juist door geïnspireerd. Meteen na zijn debuut als professioneel tennisser in 1923 werd hij naast Jean Borotra, Jacques Brugnon en Henri Cochet als 'vierde Musketier' toegevoegd aan het Franse Davis Cup-team, dat de Cup dat jaar ook daadwerkelijk won. De eerste prijs was binnen, maar Lacoste wilde meer. Hij trainde trouw en nam het tennis zeer serieus. Hij had zelfs een notitieboekje waarin hij de sterke en zwakke punten van tegenstanders bijhield. In 1924 bereikte hij zijn eerste Wimbledon-finale, die hij echter nog niet wist te winnen. Zijn eerste grandslamoverwinning bewaarde hij voor zijn thuispubliek op Roland Garros, waar hij in 1925 de titel won. Daarna stoomde hij meteen door naar de Wimbledon-titel. Na 1925 schreef Lacoste nog vijf grand slams op zijn naam, bereikte de eerste plaats van de wereldranglijst en van 1924 tot 1929 stond hij in de top tien.

Toen de vijf jaar die zijn vader hem als proftennisser had gegeven in 1928 waren verstreken, wilde hij eigenlijk stoppen – onder meer omdat hij steeds meer last kreeg van een slepende tbc-besmetting. Hij had zijn belofte om wereldkampioen te worden meer dan waargemaakt, maar uitgerekend in zijn laatste jaar wist hij Roland Garros niet te winnen. En dus knoopte Lacoste er nog een jaar aan vast, won alsnog zijn derde titel in Parijs en stopte daarna in 1929.

Hoe kwam René Lacoste nu aan zijn bijnaam 'Le Crocodile'? Daarvoor moeten we terug naar de Davis Cup van 1927. De coach van het team had een weddenschap afgesloten met Lacoste: hij zou een koffer van krokodillenleer krijgen als hij een belangrijke pot zou winnen. En die won hij, waarna de Amerikaanse pers René bestempelde als 'De Krokodil', ook vanwege zijn vasthoudende karakter op de baan.

Lacostes vriend Robert George tekende vervolgens een krokodil, die René voortaan op zijn kleding liet naaien. De Fransman creëerde hiermee niet alleen het allereerste sportlogo, maar zette bovendien nog een an-

dere trend. Tennissers speelden in die tijd namelijk in dikke, geweven shirts met lange mouwen. Vaak droegen zij daar ook nog een stropdas bij. Speciaal voor zijn collega's ontwikkelde Lacoste samen met de textielfabrikant André Gillier een wit 'tennisshirt' van een fijne, ademende stof. Het revolutionaire kledingstuk had korte mouwen, een slappe kraag die je omhoog kon zetten tegen de zon, knoopjes om de boord wat losser te kunnen doen en een 'tennistail': een langere strook aan de achterkant van het shirt, zodat die niet uit je broek zou glippen tijdens het sporten. Het shirt werd een doorslaand succes, en niet alleen in tennis. Ook golfers, zeilers en polospelers adopteerden het sportshirt van Lacoste, zeker nadat het in 1933 in grote oplages werd gefabriceerd – mét de inmiddels beroemde krokodil erop genaaid. Vreemd genoeg verdween de benaming 'tennisshirt' uiteindelijk naar de achtergrond. Vanaf de jaren vijftig heette Lacostes ontwerp een poloshirt, en dat is het tot op de dag van vandaag gebleven.

René Lacoste bleef overigens altijd geïnteresseerd in techniek en nieuwe vindingen. Zo ontwikkelde hij niet alleen diverse metalen rackets, waarmee Billie Jean King Wimbledon won en waarmee ook Jimmy Connors grote successen behaalde, maar ook een ballenkanon en revolutionaire golfclubs. Geen wonder dat zijn dochter Catherine Lacoste in 1967 de US Open-golftoernooi wist te winnen.

RENÉ LACOSTE OVER TENNIS:

'Waarom mijn krokodil zo'n succes is geworden? Voor sommige dingen is er gewoon geen logische verklaring. Maar ik denk dat als ik een zachtaardig dier had gekozen het niet dezelfde impact zou hebben gehad.'

ARTHUR ASHE

GEBOORTEDATUM **10 JULI 1943**

OVERLEDEN **6 FEBRUARI 1993**

GEBOORTEPLAATS **RICHMOND, VIRGINIA, VS**

WOONPLAATS **PETERSBURG, VIRGINIA, VS**

LENGTE **1.85 M**

GEWICHT **73 KG**

PROFDEBUUT **1969**

GESTOPT **1979**

GEWONNEN GELDBEDRAG **$ 1.584.909**

HOOGSTE POSITIE **2**

ARTHUR ASHE

- GRAND SLAMS **3**
- AUSTRALIAN OPEN **1970**
- ROLAND GARROS **-**
- WIMBLEDON **1975**
- US OPEN **1968**
- ATP-ZEGES **33**

Nadat ik in 1996 Wimbledon had gewonnen, werd ik door de organisatie van de US Open uitgenodigd om in Central Park mee te doen aan een clinic voor kinderen uit achterstandswijken. Deze leuke tennismiddag werd georganiseerd door de Arthur Ashe Foundation, een organisatie die door middel van sportieve activiteiten plezier en structuur wil bieden aan kinderen die het niet zo goed getroffen hebben. Toen ik daar al die blije gezichten zag, is bij mij het idee ontstaan om zoiets ook in Nederland te gaan opzetten. Nadat de gemeente Den Haag liet weten dat ze mij met een rijtoer door Den Haag wilden huldigen voor mijn Wimbledon-titel, heb ik dat beleefd afgeslagen in ruil voor een clinic in Regentes-Valkenbos. Die dag is de Richard Krajicek Foundation geboren. Inmiddels hebben we al in meer dan vijftig aandachtswijken playgrounds aangelegd. Onze playgrounds zijn niet zomaar trapveldjes; ik vind het belangrijk dat er óók begeleiding aanwezig is om de boel in goede banen te leiden, sportattributen uit te delen en de kinderen tekst en uitleg te geven over de verschillende sporten. Op het ROC kun je officieel zo'n opleiding tot sport- en spelleider volgen.

De Richard Krajicek Foundation is een groot succes, maar vergeleken bij wat Arthur Ashe allemaal heeft neergezet, past mij alleen maar bescheidenheid. Hij heeft op zo veel gebieden een voortrekkersrol gespeeld dat ik me afvraag hoe hij dat allemaal in zijn relatief korte leven heeft kunnen bewerkstelligen. Ik denk dat zijn enorme doorzettingsvermogen, zijn gedrevenheid om iets te bereiken en zijn sterke gevoel voor rechtvaardigheid daar een bepalende rol in hebben gespeeld.

Arthur Ashe groeide op in de buurt van een groot *blacks only* sportterrein in Brook Field. In dit complex bevond zich ook een aantal tennisbanen, en de kleine Arthur was daar vaak te vinden. Hoewel hij een zeer leergierige jongen was die hoge cijfers haalde en altijd met zijn neus in de boeken zat, tenniste hij in zijn vrije tijd blijkbaar zo goed dat zijn talent werd opgemerkt door de beroemde dr. Walter Johnson. Deze huisarts was op dat moment de coach van Althea Gibson, de enige zwarte atlete die meedeed op het hoogste niveau van het internationale tennis. De zeer atletische Althea kreeg pas begin jaren vijftig toestemming om zich in te schrijven voor 'blanke' toernooien, maar toen de *color barrier* eenmaal was gebroken, liet het succes niet lang op zich wachten. In 1956 won zij het French Open, en in 1957 en 1958 zowel Wimbledon als de US Open. Ze vond een gelijkgestemde ziel in de Engelse Angela Buxton, die op de Tour geregeld werd gediscrimineerd vanwege haar joodse afkomst. Samen wonnen zij een hele reeks dubbeltitels in de grand slams, totdat Buxton voortijdig een punt achter haar carrière moest zetten vanwege een ernstige blessure aan haar hand. Althea Gibson ging alleen verder en bereikte de nummer 1-positie. Zij was jarenlang de meest succesvolle tennisster die Amerika had voortgebracht. Geïnspireerd door dit succes besloot dr. Walter Johnson dat de wereld klaar was voor een mannelijke zwarte tennisser. Ashe speelde zich in de kijker door diverse juniorentoernooien te winnen en verdiende een studiebeurs aan de gerenommeerde UCLA, die bekendstond om haar hoogstaande collegetennisprogramma's. Maar terwijl Ashe begin jaren zestig al mocht aantreden voor het Amerikaanse Davis Cup-team, bleef hij ook studeren. 'Voor ieder uur dat je op een speelveld staat, zou je twee uur moeten spenderen met een boek,' zei hij ooit – en hij meende het. Ashe was een denker, een strateeg en een analist. Hij was een van de eerste spelers die nauwkeurig het spel van zijn tegenstanders observeerden en vervolgens manieren bedachten om hen te kunnen verslaan. Nadat hij was afgestudeerd, ging hij eerst nog twee jaar het leger in, waar ze hem volop de kans gaven om mee te doen aan de Davis Cup en andere toernooien. In 1968, precies tien jaar na Althea Gibson, won Arthur Ashe de US Open ten koste van onze landgenoot Tom Okker. Tom was in die jaren een van de beste spelers ter wereld; hij bereikte de derde plaats van de wereldranglijst achter Rod Laver en Arthur Ashe. Hoewel ik in mijn carrière vijf overwinningen verwijderd ben geweest van de nummer 1-positie, had ik het al heel bijzonder gevonden als ik de ranking van Tom Okker op z'n minst had kunnen evenaren. Maar de sympathieke Flying Dutchman heeft daarop eens geantwoord dat hij liever mijn Wimbledon-titel had gehad. En zo blijft er altijd iets te wensen over.

In 1979 won Arthur Ashe ook de Australian Open. Hij werd een steeds grotere ster en was nauw betrokken bij de professionele initiatieven van Jack Kramer en het opzetten van de ATP. Tegelijkertijd irriteerde het hem enorm dat hij geen visum kon krijgen om in Zuid-Afrika toernooien te gaan spelen. Ashe werd een bevlogen strijder tegen de apartheid, en met zijn stichting Athletes Against Apartheid oefende hij jarenlang druk uit op de regering om tot sancties en embargo's te komen. Dat bleef niet onopgemerkt, want toen Nelson Mandela in 1990 werd vrijgelaten uit de gevangenis en hem werd gevraagd wie hij graag eens zou willen ontmoeten, zei hij: 'Wat dacht je van Arthur Ashe?'

Het mooiste jaar uit zijn tenniscarrière zou 1975 blijken te zijn. In de finale van Wimbledon wist hij de torenhoge favoriet Jimmy Connors te verslaan door zijn spel precies te analyseren en zichzelf tot in de puntjes voor te bereiden. Tot op de dag van vandaag is hij de enige zwarte speler die Wimbledon heeft weten te winnen, en het was uitgerekend in mijn finale van 1996 dat MaliVai Washington voor de opgave stond om Ashe te evenaren. Toen MaliVai het zichtbaar moeilijk had met zijn voortdurende achterstand, riep plotseling een man vanaf de tribunes: 'Kom op, doe

ARTHUR ASHE OVER TENNIS:

'Je speelt nooit tegen de man aan de andere kant van het net. Eigenlijk speel je altijd tegen jezelf, tegen de hoge verwachtingen die je van jezelf hebt. En wanneer je over je eigen grenzen heen gaat, bereik je puur geluk.'

'Elke keer als je wint, neemt de angst een beetje af. Je raakt het nooit helemaal kwijt, de angst om te verliezen. Maar ik blijf de uitdaging aangaan.'

'Start waar je bent. Gebruik wat je hebt. Doe wat je kan.'

het voor Arthur Ashe!' Dat had hij nou net níet moeten zeggen, want Washington was zich misschien al te veel bewust van de geschiedenis.

Na zijn overwinning in de kathedraal van de witte racketsport werd Ashe de nieuwe nummer één van de wereld. Hij trouwde en kreeg een dochter, en begon zich volop in te zetten voor minderbedeelde kinderen. Maar tijdens een van zijn tennisclinics in New York werd hij plotseling getroffen door een zware hartaanval. Hij bleek een erfelijke hartafwijking te hebben en had een vierdubbele bypass nodig. Na die levensreddende operatie is hij nooit meer de oude geworden. Hij moest stoppen met tennissen en als Davis Cup-captain voerde hij zijn team in 1982 en 1983 naar de winst. Maar in 1983 moest hij weer een bypass ondergaan, en pas vijf jaar later bleek dat hij door de bijbehorende bloedtransfusies een hiv-infectie had opgelopen.

In de laatste jaren van zijn leven was Arthur Ashe ongelooflijk productief. Hij schreef het standaardwerk *A Hard Road to Glory*, over de worsteling van zwarte atleten om de top te bereiken. Hij gaf les aan universiteiten, was tenniscommentator voor ABC Sports, bleef onverminderd campagne voeren tegen racisme en werd voorzitter van de American Heart Association. In 1992 dreigde de krant *USA Today* openbaar te maken dat hij leed aan de ziekte aids. Om hun de wind uit de zeilen te nemen, belegde Ashe zelf een persconferentie. Vanaf dat moment nam hij nog een taak op zich: hij wilde mensen bewust maken van de feiten omtrent hiv/aids en hij wilde gaan lobbyen, zodat er veel meer geld zou vrijkomen voor onderzoek. Ook stichtte hij het Arthur Ashe Institute for Urban Health, omdat hij tot de conclusie was gekomen dat etnische minderheden in Amerika minder toegang hadden tot goede medische voorzieningen.

Arthur Ashe is op 3 februari 1993 overleden aan een hiv/aids-gerelateerde longontsteking. Hij werd geëerd met een standbeeld waarop hij in de ene hand een tennisracket draagt en in de andere een paar boeken. De US Open doopte zijn nieuwe centercourt Arthur Ashe Stadium, en viert nog ieder jaar een Arthur Ashe Day. Enkele dagen voor zijn dood had hij net een punt gezet achter zijn autobiografie *Days of Grace*, waarin hij schreef dat zijn tennissuccessen fantastisch waren geweest, maar zeker niet het belangrijkste wat hij in zijn leven had bereikt. 'Ware heldenmoed is opvallend eenvoudig en weinig dramatisch. Het is niet de drang om anderen koste wat kost te overwinnen, maar de drang om anderen koste wat kost te helpen.'

HEAD

ssen de toppers

TUSSEN DE TOPPERS:

Hij staat weliswaar tiende op de ATP-lijst, maar door het wegvallen van Lendl en Agassi, mag Richard Krajicek meedoen aan het finale-toernooi in Frankfurt. Gisteren moest hij opdraven voor de verplichte fotosessie. Staand v.l.n.r Boris Becker, Richard Krajicek, Jim Courier en Stefan Edberg. Zittend v.l.n.r Petr Korda, Michael Chang, Goran Ivanisevic en Pete Sampras.

GERAADPLEEGDE BRONNEN

ARTIKELEN

Adams, Tim, 'Borg: It was madness', *The Observer*, 7 januari 2007

Boer, Wybren de, 'Yannick Noah: geen acteur, gewoon een vriend', *de Volkskrant*, 4 juli 1997

Boer, Wybren de, 'Roy Emerson: twaalf titels, en toch niet de beste', *de Volkskrant*, 29 augustus 1998

Clarey, Christopher, 'Strange Habits of Highly Successful Tennis Players', *The New York Times*, 21 juni 2008

Collins, Bud, 'Fiery and Emmo maintained Australia's Empire', *The Age*, 15 januari 2007

Donegan, Lawrence, 'Rod Laver at 71', *The Guardian*, 16 januari 2009.

Escorcia, Dagoberto, 'Rafael Nadal', *La Vanguardia*, 16 november 2009

Fendrich, Howard, 'Sampras thought slam mark would last', *The Associated Press*, 30 januari 2009

Flink, Steve, 'Jack Kramer', *The Independent*, 15 september 2009

Gray, David, 'Arthur Ashe's Blow for Peace', *The Guardian*, 6 juli 2007

Hasler, Michael, 'Wer Tennis spielt, kann nicht Fussball spielen', *www.sportal.ch*, 30 november 2009

Joyce, Tim, 'Pushing 50, McEnroe still a spoiled brat', www.RealClearSports.com, 29 augustus 2008

Kimmage, Paul, 'The big interview: Jimmy Connors', *The Sunday Times*, 19 juni 2005

Kimmage, Paul, 'Pete Sampras: Return of the King', *The Sunday Times*, 16 november 2008

Kinnersley, Simon, 'Rafael Nadal: home comforts and a quiet life', *The Times*, 13 juni 2009

Laver, Rod, persverslag, *www.wimbledon.org*, 5 juli 2009

Malinowski, Scoop, 'The Tennis Week Interview: Jimmy Connors', *Tennis Week*, 15 augustus 2006

McRae, Donald, 'Rafael Nadal: for everybody there are tough moments. This year, mine came', *The Guardian*, 27 november 2009

Pearce, Linda, 'Wilander: Federer not the greatest yet', *The Age*, 16 juni 2006

Ramachandran, Arjun, 'Newk serves up some love for Agassi', *The Sydney Morning Herald*, 12 november 2009

Roberts, John, 'Adieu to an elegant assassin: Stefan Edberg', *The Independent*, 24 juni 1996

Schapp, Dick, 'John Newcombe', ESPN *Sports Classics*, zj.

Scully, James, 'Style & Design: Lacoste', *Time Magazine*, winter 2004

Seabra, Miguel, 'Sigh Borg', *Peter Bodo's Tennisworld*, 10 juni 2007

Shmerler, Cindy, 'Borg still boasts that calm exterior', *New York Times*, 22 augustus 1989

Stephens, Thomas, 'Federer: Records are made to be broken', *www.swissinfo.ch*, 20 september 2009

Williams, Daniel, 'Legend Rod Laver on tennis today', *Time Magazine*, 13 januari 2008

zn., 'Best and worst: Stefan Edberg', *The Sunday Times*, 29 november 2009

zn., 'Lifestory of Arthur Ashe', *www.ArthurAshe.org*, zj

zn., 'McEnroe admits to steroids', *The Daily Telegraph*, 12 januari 2004

zn., 'McEnroe: Steroids taken for pain', *Times Wire Services*, 15 januari 2004

BOEKEN

Adams, Tim, *On Being John McEnroe*, New York, 2005

Agassi, Andre, *Open*, Utrecht, 2009

Ashe, Arthur en Arnold Rampersad, *Days of Grace:*

A Memoir, New York, 1993
Bauman, Paul, *Agassi and Ecstasy*, Santa Monica, 2002
Beck, Charlotte Joko, *Alle Dagen Zen*, Amsterdam, 1992
Becker, Boris, *The Player*, Londen, 2004
Benoit, Hubert, *Zen and the Psychology of Transformation*, New York, 1955
Berry, Eliot, *Topspin*, New York, 1996
Bolletieri, Nick, *My Aces, My Faults*, New York, 1996
Borg, Bjorn, as told to Eugene L. Scott, *My life and Game*, New York, 1980
Chopra, Deepak, *Spiritueel golfen*, Utrecht, 2003
Deford, Frank, *Big Bill Tilden: The Triumph and the Tragedy*, New York, 1976
Evans, Richard, *McEnroe, Taming The Talent*, Londen,1990
Fein, Paul, *Tennis Confidential*, Dulles, 2002
Fein, Paul, *You Can Quote Me on That*, Dulles, 2005
Feinstein, John, *Hard Courts*, New York, 1992
Fisher, Marshall Jon, *A Terrible Splendor*, New York, 2009
Franker, Stan en Bertold Palthe, *Tennis, discipline, talent*, Amsterdam / Brussel, 1996
Gilbert, Brad, *Winning Ugly, mental warfare in tennis*, New York, 1994
Krajicek, Richard, *Harde Ballen*, Baarn, 2005
Krajicek, Richard en Theo Bakker, *Een halfjaar Netpost*, Amsterdam, 1998
Kramer, Jack with Frank Deford, *The Game, My 40 Years in Tennis,* New York, 1979
Liebman, Glenn, *Tennis Shorts*, Chicago, 1997
McEnroe, John, *Serious, the Autobiography*, Londen, 2003
McEnroe, John, *You Cannot Be Serious*, New York, 2003
McPhee, John, *Levels of the game*, New York, 1979
Steinkamp, Egon, *Gottfried von Cramm, der Tennis Baron*, München, 1990
Sellin, Fred, *Boris Becker, spelend door het leven*, Baarn, 2003
Stewart, Mark, *Pete Sampras, Strokes of Genius*, Danbury, 2000
Trengove, Alan, *The Story of the Davis Cup*, Londen, 1985
Vemer, Coen, *De tennissers*, Amsterdam, 1993

WEBSITES

www.peterbodostennisworld.com
www.tennis.com
www.theage.com.au
www.tennisweek.com
www.insidetennis.com
www.authentichistory.com
www.tennisfame.com
www.sportsillustrated.com
www.allamericanspeakers.com

OVERIG

Biography: Andre Agassi, A&E Television
Sportweek, jaargangen 1997-2009
Sport International, jaargangen 1997-2004
Tennis Magazine, jaargangen 1992-2009
Smash Tennis, jaargangen 2003-2009
ATP *Official Guide*, jaargangen 1991-2009
Deuce, jaargangen 2002-2009
De Telegraaf
Algemeen Dagblad
de Volkskrant
NRC *Handelsblad*